MW00613628

Calle 101

Elementos Fundamentales del Corretaje Comercial

Calle 101

Elementos Fundamentales del Corretaje Comercial

Rubén Huertas

Editado por Elbia I. Quiñones Castillo, MBA, MA
Con la colaboración de Weyna Quiñones Castillo, Ed.D.

Calle 101 - Elementos Fundamentales del Corretaje Comercial

AZ DP 15 14 13 07 20 13

Power Publishing Learning Systems
PO Box 593
Caguas, PR 00726
info@powerpublishingpr.com
www.powerpublishingpr.com

ISBN 978-0-9819090-4-2

Este libro está dedicado a todas aquellas personas que conocen que el tamaño de su compensación en la vida está determinado por el tamaño de sus servicios para con los demás.

Aviso Importante

Este libro está diseñado para proveer información y educación relacionada con la industria de los bienes raíces. Se ofrece bajo la condición que ni la casa editora ni el autor están ofreciendo asesoría legal, financiera, contable o algún otro tipo de servicio profesional.

Si el lector requiere algún tipo de asesoría profesional debe consultar un profesional calificado para ofrecer asistencia basado en su necesidad en particular.

No es el objetivo de este libro ofrecer todo el conocimiento disponible sobre bienes raíces. El lector debe leer y estudiar todo tipo de materiales de referencia disponibles sobre el tema.

La información y los números en este libro han sido verificados detalladamente y con suma cautela. Si usted encuentra algún error, favor de comunicárnoslo para efectuar las correcciones necesarias en la próxima edición.

Este libro es para uso de referencia y todos los cálculos deben ser verificados con otras fuentes. Diferentes puntos decimales han sido utilizados para las distintas tablas.

Es posible que su cálculo no sea exactamente igual al nuestro. Utilice el libro como una guía, pero cerciórese de corroborar todos sus análisis antes de efectuar alguna transacción. Se recomienda, también, que siempre que efectúe cualquier transacción consulte con un profesional calificado. Obtenga asesoramiento legal adecuado antes de firmar algún documento que lo comprometa.

El autor y la casa editora no son responsables por daños, pérdidas o cualquier otro tipo de reclamo de parte del lector como alegada consecuencia de la información provista en este libro. Si usted no está de acuerdo con estas condiciones, puede devolver el libro y se le ofrecerá un reembolso completo.

Contenido

Introducción

En el otoño de 1908, en la ciudad de Nueva York, un reportero llamado Napoleón Hill tuvo la oportunidad de entrevistar a Andrew Carnegie, uno de los hombres más ricos del mundo en ese tiempo.

Esta era la primera asignación de Napoleón Hill como reportero para la revista Bob Taylor's Magazine la cual se especializaba en historias inspiracionales y su mercado eran comerciantes esforzándose por crecer sus negocios y empresas.

La entrevista estaba pautada para un viernes con una duración de tres horas. El señor Carnegie estuvo tan impresionado con el joven reportero que extendió la entrevista por varias horas hasta que finalmente le solicitó a Napoleón Hill que se quedara todo el fin de semana hasta el lunes. Discutiría unas ideas que este tenía con respecto al estudio de las razones del éxito de las personas más sobresalientes de esa época.

El resultado de esto fue el estudio más completo jamás realizado sobre las personas más exitosas del mundo. Dicha compilación fue publicada bajo la obra *Ley del Éxito* que constaba de ocho tomos. Eventualmente se revisó y sintetizó esta obra, por lo que se publicó bajo el título de *Piense y Hágase Rico.*

Este último es el libro más vendido de todos los tiempos dentro del campo del crecimiento personal. Muchas personas conocen esto, lo que es de menor conocimiento fue la discusión que Napoleón Hill y Andrew Carnegie tuvieron durante ese fin de semana.

Parte de esta conversación se basó en cómo Carnegie logró alcanzar un éxito tan rotundo. Andrew Carnegie era un hombre escocés que en 1848, a la edad de 13 años, emigró a los Estados Unidos con sus padres.

Comenzó a trabajar en una fábrica de algodón, luego en los ferrocarriles y finalmente con sus ahorros logró establecer su propia empresa que se dedicaba a construir puentes de acero para los trenes.

Su negocio creció y eventualmente se convirtió en un magnate del acero. En 1901 Andrew Carnegie vendió su compañía a J.P. Morgan por $400 millones (lo que equivale a aproximadamente $8 billones hoy día).

Cuando Napoleón Hill entrevistó al señor Carnegie, este le confesó que gran parte de su fortuna fue creada a través de las innumerables oportunidades que encontró en las inversiones en bienes raíces.

El negocio del acero era muy rentable, pero eran sus inversiones en bienes raíces las que ofrecían perpetuidad a su fortuna. Esto es un hecho que no solamente le ocurrió a Andrew Carnegie, sino que le ha sucedido a todos los magnates de diferentes industrias a través de los tiempos. Los bienes raíces han comprobado ser la mejor inversión que existe.

Podemos encontrar personas que han creado grandes fortunas en diferentes áreas, pero todas tienen como denominador común la utilización de los bienes raíces como elemento de solidificación de sus posiciones financieras.

Es un gran reto y mucha responsabilidad ejercer en el campo de los bienes raíces, pero también es un honor y una fantástica oportunidad de lograr adquirir todos nuestros objetivos financieros y de crecimiento personal.

Las ventajas económicas que ofrecen los bienes raíces comerciales son muy buenas. La libertad personal que nos brinda es invaluable. El crecimiento individual que nos otorga satisface la necesidad humana de mejorar continuamente como persona.

Los invito a que se embarquen en esta aventura de crecimiento y conocimiento la cual les brindará todas las herramientas necesarias para lograr hacer de esta, su profesión de bienes raíces, la mejor opción de sus vidas.

1

Corretaje Comercial

"El corretaje de bienes raíces comerciales es una de las formas empresariales más puras que existe en la sociedad".—John L. Bowman

1

Corretaje Comercial

¿En qué negocio estamos?

Es importante, primero que todo, entender en qué negocio estamos. Muchas personas piensan que estamos en el negocio de bienes raíces; otras, que estamos en un negocio de ventas; aun otras creen que estamos en un negocio de servicio.

En realidad, estamos en un negocio de información. Aquellos que tengan la mejor información serán los que ganarán más dinero: no los mejores vendedores, no los que tengan más tiempo en el negocio, no los que tengan las compañías más grandes.

En un momento dado los dueños de ferrocarriles, pensando que estaban en el negocio de los trenes, se enfocaron solo en mantenerlos perfectamente funcionando. Sin embargo, continuaban perdiendo clientes. No tenían idea alguna que estaban en el gran negocio de la transportación. Para estos fue muy tarde corregir dicha situación. No podemos permitir que nos ocurra lo mismo. Es imprescindible que conozcamos exactamente cuál es nuestro negocio y que actuemos de acuerdo a este.

¿POR QUÉ BIENES RAÍCES COMERCIALES?

Les presento la siguiente historia para ilustrar el principio anterior. Una mujer se le acercó a Pablo Picasso en un restaurante y le solicitó que le dibujara cualquier cosa en su servilleta y que además se la autografiara. Pablo Picasso procedió a hacer lo solicitado y al terminar presentó la servilleta a la mujer y le dijo: "tenga, son $10,000".

La mujer se quedó perpleja ante semejante suma y le preguntó que cómo se atrevía a cobrar tanto por un dibujo que tan solo le tomó 10 minutos en realizar. Pablo Picasso la miró y le dijo: "este dibujo en particular me tomó más de 40 años en realizar. Las técnicas aquí aplicadas son el resultado de más de cuatro décadas de estudio y práctica. Si lo quiere son $10,000".

Asimismo tenemos que comprender que el valor que brindamos al mercado está basado en nuestra experiencia y crecimiento personal. Mientras más nos empeñemos en mejorar nuestras habilidades personales, más abundancia se manifestará en nuestras vidas como resultado de nuestro esfuerzo.

Sin embargo, también es necesario entender que no es la cantidad de años que llevamos ejerciendo nuestra profesión la que nos garantizará esta experiencia sino el crecimiento que hayamos tenido. Puede que una persona lleve 20 años ejerciendo una profesión y solamente tenga dos años de experiencia, estos repetidos 10 veces.

Puede ser también que alguien lleve solo dos años ejerciendo una profesión, pero que haya adquirido 20 años de experiencia basado en un estructurado plan de desarrollo personal.

Me entusiasma conocer que una gran cantidad de personas tengan un alto grado de interés en incursionar en el campo de corretaje de bienes raíces comerciales. El corretaje de bienes raíces comerciales es una de las formas empresariales más puras que existen en la sociedad.

Es una gran oportunidad para aquellos individuos con un ardiente deseo de superarse y obtener independencia financiera. Los bienes raíces comerciales han sido y continúan siendo el medio principal por el cual muchas personas han logrado alcanzar el estatus de millonario.

Desde ambos puntos de vista, el corretaje comercial y las inversiones comerciales, estos han sido responsables de la creación de muchas fortunas. Por ahora discutiremos el corretaje, más tarde en el libro entraremos en detalles relacionados con las inversiones en bienes raíces comerciales.

Estadísticas

Un estudio realizado sobre el estatus de personas a la edad de 65 años reveló lo siguiente:

1% Son ricos

4% Son económicamente independientes

7% Mueren

25% Todavía trabajan (por necesidad)

63% Son económicamente dependientes

Uno de los vehículos más eficientes para lograr ser parte del 5% tope de la tabla es el corretaje comercial. El afamado baloncelista norteamericano Michael Jordan escribió en uno de sus libros: "*Puedo aceptar derrotas. Todo el mundo fracasa en algún momento. Lo que no puedo aceptar es no intentarlo. Es por eso que no temía incursionar en béisbol*".

Estas son palabras de aliento que podemos utilizar para incursionar en un nuevo campo. Si usted está considerando el corretaje comercial, es una señal del universo que le indica que usted tiene el potencial para lograr el éxito en este campo. Dése a la tarea de conocerlo a fondo y el cielo será su límite.

Ventajas vs. desventajas

Ventajas

Múltiples Propiedades del Mismo Cliente

Existen ventajas y desventajas del corretaje comercial, una vez comparado con el corretaje residencial. Entre la ventajas encontramos que la mayoría de las veces usted como corredor de bienes raíces comerciales tendrá muchas propiedades para trabajar y muchos listados para vender, pero una cantidad relativamente pequeña de clientes.

Es muy común el que sus clientes comerciales posean varias propiedades y muchas veces, grandes cantidades de propiedades. Esto le facilita a usted el manejo de las mismas ya que solo tiene que lidiar con una persona.

Cuando comencé en el negocio del corretaje comercial, obtuve con mi primer cliente siete propiedades para la venta con un valor total de $19 millones. Estaba muy entusiasmado y me consideraba afortunado. Pronto aprendí que esto es muy común. Hoy día, la mayoría de mis clientes poseen múltiples propiedades para la venta en todo momento.

La posibilidad de tener un buen inventario de propiedades para la venta con la ventaja de pocos clientes representa una comunicación más sencilla con los mismos.

Prefiero comunicarme frecuentemente con mis clientes para notificarles de los avances de las transacciones. Tener que realizar menos llamadas, hace que la utilización de mi tiempo sea más eficiente.

Son estos mismos clientes quienes también son compradores y vendedores. Los clientes comerciales, por lo general, son dueños de negocios y están en constante búsqueda de propiedades para sus negocios o para inversión.

Esto hace que podamos efectuar negocios con nuestros mismos clientes a quienes representamos en la venta de otras propiedades. Nuevamente, pocos clientes, muchas propiedades, muchas transacciones. Una gran ventaja del corretaje comercial.

FACILIDAD DE FINANCIAMIENTO

Otra ventaja es que el cliente comercial ya sabe cómo obtener el dinero para financiar su compra. Si no lo tiene disponible, definitivamente tiene algún tipo de relación con un banquero de confianza. Este proceso agiliza la venta. De igual manera, el cliente comercial tiene un abogado de confianza el cual ya conoce los negocios de su cliente, por lo que esto facilita la culminación de la transacción.

Mayores ingresos

Las propiedades comerciales brindan la oportunidad de mayores ingresos. La compensación en bienes raíces está basada en comisiones que por lo general representan cierto porcentaje de la venta total.

Las propiedades comerciales son transacciones de cantidades altas y los ingresos una vez realizas estas ventas, son mayores que el corretaje residencial. Esta es una de las razones principales por la cual las personas deciden incursionar en el corretaje comercial.

Las propiedades tienen una tasación existente

Otra ventaja del corretaje comercial es que la mayoría de las veces estas propiedades tienen una tasación de la cual podemos extraer la información necesaria para mercadear efectivamente la misma, sin tener que perder mucho tiempo recopilándola.

Sin importar la opinión de valor expresada en la tasación, ya que esta puede ser obsoleta, los datos nos brindan la oportunidad de acelerar el proceso de venta que es lo que nuestro cliente desea.

Otra ventaja del corretaje comercial es no tener que trabajar noches ni fines de semana. Por lo contrario, esto es muy común en el corretaje residencial. Es más, estas son las horas donde la mayoría de las ventas residenciales se realizan.

En el corretaje comercial estamos negociando con empleados de grandes empresas nacionales, los cuales trabajan por lo general de 8 a 5. Los otros clientes son comerciantes mayores de edad que no interesan pasar sus noches o fines de semana en menesteres de negocios.

Por lo general, desean disfrutar con su pareja y sus nietos y circunscriben sus actividades de negocio para temprano en la mañana hasta mediados de la tarde. Además, existen personas jóvenes que efectúan transacciones comerciales; pero estos representan una minoría.

Si usted tiene como prioridad compartir con su familia o participar de actividades extracurriculares en las noches y fines de semana, el campo comercial es ideal. Para personas que tienen que regresar a sus hogares temprano para atender a sus hijos, el campo del corretaje comercial es perfecto.

POCA GENTE SE ESPECIALIZA EN ESTE CAMPO

(*aunque mucha gente aparente conocerlo*)

Relativamente poca gente trabaja el campo comercial, por lo que esto ofrece una gran oportunidad para aquellos que se aventuran a conocerlo. Muchas personas piensan que este campo es muy diferente y difícil y nunca intentan incursionar en el mismo.

Pocas personas, también, tienen el temple necesario para desempeñarse efectivamente y obtener ingresos de forma consistente. Sea cual sea la razón, la competencia en el corretaje comercial es mucho menor que en el corretaje residencial.

"Yo no pido que me den, sino que me pongan donde hay".—Cantinflas

Los clientes son más sofisticados

Los clientes en el corretaje comercial tienden a ser más sofisticados que aquellos que encontramos en el corretaje residencial. Son profesionales pudientes que en su mayoría conocen, por ejemplo, que una tasación comercial les costará miles de dólares y no tienen problema alguno contratando a un tasador antes de otorgarle a usted un contrato de listado. Claro, siempre existen aquellos que se rehúsan a incurrir en estos gastos, pero estos representan una minoría.

Si usted se encuentra con demasiados clientes de este último tipo, es un indicio de que está trabajando con el tipo de cliente equivocado. Revise la sección que incluimos en este libro sobre los tipos de clientes con quienes debe trabajar.

La oportunidad de adquirir una gran fortuna

Las personas que venden bienes raíces comerciales crean independencia financiera; aquellos que compran propiedades comerciales, crean fortunas. Esta es una de las grandes ventajas que nos ofrece el corretaje comercial. Con nuestro conocimiento del mercado tenemos acceso a oportunidades de inversión mucho antes que otros inversionistas.

Debemos posicionarnos financieramente para aprovechar estas oportunidades. Una de las mejores propiedades que he comprado fue a través de un cliente que me llamó para que tomara el listado de su propiedad. Era un complejo de apartamentos con 42 unidades en Nueva York.

Al ver la propiedad le indiqué al cliente que si pudiera cualificar, yo mismo compraría la propiedad. Me indicó, entonces, la persona con quien debía hablar en el banco para asumir la deuda de la propiedad y comenzamos el proceso de compra.

Tomó varios meses, pero finalmente logré estructurar la transacción de manera que pude adquirir la misma. Fue una de las mejores lecciones en bienes raíces que he tenido.

Es una cosa vender propiedades, ya sean estas de bajo o alto precio. No obstante, es completamente diferente cuando uno es el comprador e inversionista que aporta el pronto y asume la responsabilidad de un pago mensual de miles de dólares al igual que la administración de más de 200 personas.

Definitivamente, esta experiencia tan grata fue el resultado de prestar atención a una oportunidad disponible en el mercado en ese momento y reaccionar con prontitud a la misma.

Múltiples ventas de la misma propiedad

Por otra parte, es posible vender la misma propiedad varias veces en un año. Esta es otra de las ventajas del corretaje comercial. Muchas veces tenemos clientes que compran propiedades con el solo fin de de mejorarlas, remodelarlas y ofrecerlas nuevamente para la venta en el mercado.

Esto por lo general ocurre durante el período de un año. Si nos mantenemos en contacto con nuestros clientes y conocemos sus intenciones, podremos obtener oportunidades como estas. Conozco alguien que ha vendido en un período de 10 años la misma propiedad siete veces. Cada vez que la vende, su comisión es mayor.

No existe límite territorial

Los compradores de propiedades comerciales de inversión compran basados en la capacidad de la propiedad para generar ingresos que le provean al inversionista un rendimiento adecuado en su inversión. Esto significa que compran propiedades en casi cualquier lugar si las condiciones son aceptables.

En el campo del corretaje residencial, los compradores desean establecerse en vecindarios específicos, basados en los detalles demográficos del mismo, las escuelas, la proximidad a sus lugares de trabajo y áreas de recreación.

El campo del corretaje comercial ofrece una gran oportunidad para trabajar con clientes de cualquier sitio, incluso muchos de los clientes son de otros países. Por lo tanto, su fuente de clientes es mucho mayor y le permite especializarse de forma efectiva para lograr llegar exactamente a su cliente potencial.

Mayor oportunidad para vender sus listados

Estudios revelan que el 85% de las veces, la persona que lista una propiedad comercial es la misma persona que la vende. Muy diferente al campo residencial. Esto ofrece una verdadera oportunidad de obtener altos ingresos.

No solo las propiedades comerciales ofrecen una oportunidad de mayores ingresos, sino que también poseen el beneficio adicional de obtener en la mayoría de las veces la partida de la comisión destinada para el agente listador y la partida del agente vendedor.

85% de las propiedades comerciales se venden por el mismo agente listador.

Desventajas

Discutamos ahora las desventajas del corretaje comercial. Este nos ofrece grandes oportunidades, sin embargo, es muy importante que conozcamos bien los retos de este campo para tomar una decisión bien informada.

Toman más tiempo en venderse

Para comenzar, las propiedades comerciales toman más tiempo en venderse. Al considerar incursionar en este campo, conozca que inicialmente su primera venta puede tomar más de un año en efectuarse. Como en todo, existen excepciones.

Por lo tanto, todo aquel que decida hacer una carrera del campo comercial debe tener suficientes ahorros que puedan apoyarlo en lo que obtiene su primera venta. Otra alternativa es la de estar en una posición donde su pareja pueda sufragar los gastos del hogar en lo que su negocio comienza a producir.

Si está decidido a trabajar este campo, tenga una conversación clara con aquellos que dependen de usted. De otra manera, el camino puede ser muy cuesta arriba. Por último, una posibilidad es la de comenzar su carrera comercial a tiempo parcial. Esto no es lo más recomendable; si no tiene otra alternativa, añada una cantidad considerable adicional al tiempo necesario para lograr su primera venta.

Es más difícil establecer su valor

Otra de las desventajas del corretaje comercial es que estas presentan mayor dificultad al momento de determinar su valor. Si la propiedad genera ingresos, es relativamente sencillo determinar su valor. Sin embargo, si la propiedad es utilizada por su dueño y además es su negocio, muchas veces este tipo de heterogeneidad hace más difícil determinar su valor.

Por otra parte, muchas veces no es fácil identificar otras propiedades que podamos utilizar como guía o comparables para establecer el valor de la que nosotros estamos listando o para la cual tenemos un prospecto comprador.

Existen menos compradores

Otra desventaja es que existen menos prospectos para la compra de propiedades comerciales. Obviamente existe una mayor cantidad de prospectos para una residencia en su vecindario que para el centro comercial del mismo. Esto es parte del por qué estas toman más tiempo en venderse.

La necesidad es menos urgente

Otro factor, también desventajoso, es que por lo general en el corretaje comercial la necesidad del cliente comprador es menos urgente. Muchos comerciantes, por ejemplo, si están en busca de un almacén para su inventario, se toman el tiempo necesario para identificar la propiedad más adecuada debido a que estos ya poseen uno.

La razón de su búsqueda es la de expandir la capacidad que estos tienen actualmente; empero, esto no significa que tienen que comprar hoy. Pudiera ser que estos compren en un año o tal vez dos años después de haber comenzado su búsqueda.

Por lo tanto, es importante que usted determine muy temprano en su relación con su cliente el período de tiempo que tiene su cliente establecido para efectuar la compra. De esta manera, podrá utilizar su tiempo de forma más eficiente y organizada.

Si un cliente necesita mudarse en dos meses y otro pudiera esperar un año, su prioridad es el cliente que solo tiene dos meses para mudarse. Esto no significa olvidarse del otro cliente, sino utilizar su tiempo y esfuerzo de forma más productiva.

Conflictos de egos

Otra desventaja del corretaje comercial se relaciona a los conflictos existentes de los grandes egos entre las personas. En algún momento usted tendrá una propiedad para la venta la cual pudiera ser adquirida por un comprador cualificado; pero, la venta no se efectuará porque el dueño tuvo en el pasado disputas de negocios con ese comprador.

No se desanime; a pesar de que usted realizó su trabajo perfectamente, logró conseguir el contrato de listado como deseaba al igual que el comprador para la misma. Debido a que una disputa pasada no está considerada como una forma de discrimen bajo la ley, no existe mucho que usted pueda hacer excepto hacer el mayor esfuerzo por persuadir al dueño/vendedor a que venda y olvide asuntos pasados. Unas veces logrará la venta; otras, no.

Cómo comenzar

Ya hemos discutido las ventajas y desventajas del corretaje comercial. Procedamos ahora a identificar cómo comenzar su práctica en este campo tan interesante.

ESPECIALÍCESE

Lo primero que tiene que determinar es el tipo de especialización que desea tener. El corretaje comercial es un trabajo arduo y si va a dedicar su carrera profesional a este campo, debe escoger un área de especialización que le satisfaga a cabalidad.

El peor error es incursionar en este campo por el mero hecho de que es muy lucrativo. Lo mismo aplica a cualquier carrera. Si su motivación es el dinero, se convertirá en un esclavo de su profesión.

La verdadera libertad se consigue haciendo lo que le gusta. Debe conocer, sin embargo, que existe una gran variedad de especializaciones de las cuales escoger. Es muy probable que usted pueda encontrar la que va acorde con su personalidad y estilo de vida.

Dentro de todas las especializaciones existen también tres tipos de categorías en las que usted puede ejercer: ventas, alquileres o arrendamientos y administración. Estas tres categorías son muy diferentes entre sí y representan campos completamente diferentes.

Cada uno de estos campos dentro de estas categorías tiene sus propias organizaciones, instituciones y programas educativos. Algunos ejemplos son: CCIM, SIOR, IREM. Es importante y en realidad un requisito mínimo que usted forme parte de alguna de estas organizaciones y se mantenga activo en la misma.

No hacerlo lo mantendrá muy alejado de lo que está ocurriendo en la industria por lo que también limitará grandemente sus habilidades para trabajar de forma exitosa. Estará trabajando todo el tiempo con una gran desventaja. El campo comercial representa grandes retos, no es una decisión inteligente intentar trabajarlo solo sin el respaldo de aquellos que sí conocen el campo y le pueden ayudar a triunfar.

Tome en cuenta que todas las especializaciones que vamos a mencionar se dividen en las tres antes mencionadas.

Especializaciones

Industrial

Una de las especializaciones es el campo industrial. Probablemente esta sea la especialización más fácil debido a la variedad de productos y los numerosos compradores y vendedores dentro del mismo.

Estos incluyen almacenes, solares industriales, plantas de manufactura, entre otros. Es la forma más fácil de comenzar a trabajar el campo comercial.

Oficinas

Otra especialización es el corretaje de oficinas. Esta es la especialización más formal. Su concentración se encuentra en las grandes ciudades. Este tiende a ser el mercado más estable. En esta especialización la categoría prevaleciente es la de alquileres o arrendamientos.

Esta es una de las áreas más difíciles para comenzar. La misma requiere una gran cantidad de contactos que por lo general toma varios años obtener.

Edificio Industrial

Edificio de Oficinas de baja altura

En esta especialización se trabaja mucho con compañías nacionales e internacionales. Estas propiedades se distinguen por su altura en número de pisos:

Baja altura (Low-rise): Menos de siete pisos de altura

Mediana altura (Mid-rise): Entre siete y 25 pisos de altura

Gran altura (High-rise): Mayor de 25 pisos de alto

Algunos mercados utilizan algún tipo de variación para determinar estas categorías, pero por lo general estas características son aceptadas a nivel mundial.

Las propiedades también se afectan por su localización y sus amenidades. En el mundo comercial se utilizan categorías para clasificar las mismas. Estas son clase A, B o C.

Las propiedades **clase A** son las más modernas y funcionales. Es por esto que la renta en estas propiedades es más costosa. Las propiedades **clase B** son menos modernas, aunque están localizadas en áreas muy deseables y la renta que estas logran obtener son menores que las de clase A, pero a su vez muy lucrativas. Las propiedades **clase C** son más viejas y poseen algún tipo de obsolescencia la cual las hace menos deseables en el mercado.

Casi todas las propiedades en zonas comerciales financieras fueron en algún momento clase A, sin embargo, con los avances tecnológicos y los cambios en el perfil de la sociedad están perdiendo su atractivo.

Todas las ciudades grandes tienen una zona financiera donde por lo general se establecen los bancos más prominentes. Muchas de estas estructuras son a veces clasificadas bajo el

Edificio de Oficinas de media altura

Edificios de Oficinas de gran altura

dominio de preservación histórico, pero para efectos de valor en el mercado, carecen de las características y amenidades necesarias para competir eficientemente con edificios nuevos y modernos.

Una práctica común en mercados con alto crecimiento y sin espacio para construir nuevos edificios es remodelar propiedades existentes y moverlas de categoría dentro de su mercado. Por ejemplo; una propiedad clase C, se puede remodelar y convertirse en clase B.

De igual manera, una propiedad clase B puede convertirse en clase A con las mejoras necesarias para competir en su mercado en particular. Cabe señalar que si existe la posibilidad de construir nuevas propiedades debido a la existencia de terrenos o la demolición de edificios viejos, entonces la nueva construcción será muy superior a cualquier tipo de remodelación de edificios viejos y no será posible cambiarlos de categoría.

Esto significa que las rentas que se cobran en estos edificios no podrá aumentarse, resultando esto en la inhabilidad de aumentar significativamente el valor de la propiedad y el rendimiento en la inversión por parte del inversionista o inversionistas con intereses financieros en la propiedad.

He tenido la oportunidad de trabajar en el reposicionamiento de propiedades de una categoría de clase a otra mayor. Este proceso conlleva la realización de estudios minuciosos para determinar el grado de mejoras que se pueden realizar sin afectar adversamente el rendimiento en dicha inversión.

En ocasiones, simples y económicas mejoras han resultado en la habilidad de aumentar las rentas de forma espectacular;

Edif icio de Ventas al Detal *stand alone*

Centro Comercial Regional

incrementando a su vez el valor de la propiedad y el rendimiento en la inversión. Otras veces la inversión de grandes cantidades de capital en infraestructura, mejoras y amenidades no ha resultado en un aumento equivalente de las rentas.

El valor de la propiedad no ha variado en lo más mínimo, resultando esto en una pérdida en el valor de la inversión de capital. Sin embargo, la mayoría de estas actividades ha provisto al inversionista con excelentes resultados y un rendimiento en su inversión y re-inversión de sus ganancias mucho mayor que lo que pudiera haber obtenido en cualquier otro tipo de inversión. Mi experiencia de trabajo y como inversionista a nivel personal ha probado que los bienes raíces son la mejor inversión que existe.

Locales Comerciales de Ventas al Detal

La próxima especialización es la de locales comerciales. Se denominan locales comerciales aquellas propiedades donde se efectúan ventas al detal. Estos incluyen centros comerciales en todas sus categorías: regionales, de vecindario, *outlets*, etc.

Centros Comerciales Regionales

Los centros comerciales regionales tienen varios tamaños dependiendo del tamaño del mercado, pero siempre tienen como tiendas principales a inquilinos de tiendas por departamentos de gran renombre como Sears®, Bloomingdale's®, Lord & Taylor®, Saks Fifth Avenue®, Dillard's®, JC Penney®, Macy's®, Nordstrom®, Neiman Marcus®, Barney's New York®, Bon-Ton® y otras.

Estos centros comerciales se caracterizan, también, por poseer pasillos interiores con espacios comunes. Para visitar alguna

Centro Comercial *strip mall* (de vecindario)

Centro Comercial de "estilos de vida"

de las tiendas en estos centros comerciales es necesario entrar por una puerta principal. No se puede entrar a las tiendas desde afuera directamente, a menos que se esté visitando una de las tiendas ancla principales ya descritas.

Centros Comerciales *Strip Mall* (de Vecindario)

Una de las categorías más lucrativas dentro de esta categoría son los centros comerciales de vecindario. Estos son los que por lo general tienen como inquilino principal algún tipo de supermercado o farmacia. Muchas veces existen bancos dentro de estos centros comerciales.

Los mismos se acceden desde afuera directamente. No es necesario entrar en cualquiera de sus edificios. Usted entra directamente a la tienda que desea visitar. Los pasillos están afuera, con acceso directo desde el estacionamiento.

Centros Comerciales de "Estilos de Vida"

Estos son similares a los centros comerciales regionales, no obstante, el acceso a las tiendas es por afuera del edificio y los clientes se estacionan frente a la tienda.

El concepto es uno que facilita el acceso a la tienda en particular que el cliente desea visitar sin tener que pasar por todas las demás.

Este concepto está reemplazando el concepto original de centros comerciales regionales donde las personas tienen que entrar a las facilidades para visitar su tienda de predilección.

Los mismos aparentan ser una pequeña ciudad con carreteras, aceras, plazas públicas y grandes espacios abiertos. Sin embargo, estos son predios privados que aparentan ser vecindarios pequeños y seguros donde efectuar todo tipo de compras.

Edificio de *Power Center*

Centro Comercial *outlet*

Power Centers

Centros de poder (Power Center) son áreas donde se encuentran localizados negocios que requieren grandes espacios y que por lo general tienen sus tiendas en edificios individuales (stand-alone). Estas son las tiendas de membresías, de descuentos, de mucho volumen o tipo club.

Estos centros requieren de una población mayor para subsistir. Sin embargo, debido a su configuración los mismos tienen la capacidad de atraer visitantes desde áreas relativamente remotas y lejos que de otra manera no visitarían la ciudad. Es por esto que se les denomina *centros de poder.*

Encontramos en estos centros tiendas como: Sam's Club®, BJ Wholesale® y Costco®. En esta categoría, existen también tiendas con menor volumen de negocios; pero que poseen especialidades que complementan a los otros inquilinos. Por ejemplo: tiendas de descuento de accesorios de animales, tiendas de descuento de zapatos, tiendas de deportes, tiendas de efectos de oficina y tiendas de accesorios para fiestas y actividades.

Outlets

Los *outlets* son una categoría que suele construirse en áreas turísticas. Estos centros por lo general no tienen tiendas anclas principales. Las mismas se especializan en tiendas de productos de marca que se ofrecen de forma más económica.

Este tipo de centro comercial es el que atrae clientela de los lugares más remotos. Debido a los precios que se suelen

El 99% de las veces, las personas llaman al último corredor que les hizo un acercamiento de negocio.

obtener en sus tiendas, la población está dispuesta a viajar distancias más largas hasta llegar a ellos.

Una vez se construye el *outlet*, el potencial de realizar negocios de compraventa con los mismos es muy bajo. La mejor oportunidad para el agente inmobiliario existe en el arrendamiento de sus locales.

Esta especialización requiere detallados estudios de mercado para conocer a fondo su comportamiento. La mayoría de los clientes son dueños de muchas propiedades.

Estas propiedades tienden a ser más caras por pie cuadrado que todas las demás. Este mercado posee un buen balance entre prospectos, entiéndase usuarios locales y nacionales.

Inversiones

Una de las áreas más fascinantes del corretaje comercial es el de las inversiones. Esta especialización es un mundo aparte. Los corredores de propiedades de inversión son los que más conocimiento técnico requieren.

Los prospectos reales son inversionistas, no usuarios. Estas son las propiedades más escasas y por consiguiente las más lucrativas.

La venta de propiedades de inversión representan las transacciones más grandes. Es muy común que estas alcancen los cientos de millones de dólares y no es raro que sobrepasen el billón de dólares.

A este nivel estamos negociando con portfolios de propiedades en vez de propiedades individuales. Estos portfolios, muchas veces, están organizados en forma de sindicatos o fideicomisos. Sindicatos es el conjunto de fondos de muchos inversionistas para lograr adquirir propiedades de alto valor o portfolios de alto volumen que de otra forma no hubiese sido posible obtener.

Los fideicomisos son similares a los sindicatos, pero estos últimos gozan de beneficios contributivos de los cuales los sindicatos carecen.

Fideicomisos (REIT's)

REIT's por sus siglas en inglés de *Real Estate Investment Trust* es un tipo de corporación que emite acciones comunes e invierte su capital en propiedades inmuebles.

Es muy parecido a lo que son los Sindicatos de Bienes Raíces, muy populares en los Estados Unidos. De hecho todos los REIT's son sindicatos, aunque no todos los sindicatos son necesariamente REIT's.

Los REIT's cualifican como entidades *Pass-through*, en otras palabras, tributan a un solo nivel al momento de efectuarse el pago de dividendos. A nivel corporativo, la tributación está exenta. Esto ofrece un gran beneficio para el inversionista.

Su propósito principal es proveer a la persona promedio la oportunidad de invertir en un portfolio de propiedades inmuebles, administrado por profesionales, a las cuales el inversionista pequeño no tendría acceso de otra manera.

Los REIT's proveen propiedades de gran calidad de inversión y debido a la estricta regulación de la cual son sujeto de parte del gobierno, garantizan cierto nivel de seguridad.

Para los corredores de bienes raíces comerciales, los REIT's ofrecen una gran oportunidad ya que pueden ofrecer para la venta muchas propiedades.

De igual manera, pueden obtener como listados una cantidad similar la cual pueden ofrecer a sus clientes individuales. Los REIT's al igual que los sindicatos requieren de parte de la administración un rendimiento en la inversión promedio el cual deben obtener anualmente.

Cuando algunas propiedades dentro del fideicomiso o sindicato no logran alcanzar este rendimiento, es muy común que se venda la propiedad. Esto es lo que ofrece una gran oportunidad para el agente de bienes raíces.

Una propiedad puede generar muy buenos ingresos para un inversionista individual, pero no ser adecuada para un fideicomiso o sindicato. Estos, por lo general, requieren un aumento agresivo en el rendimiento de las propiedades.

Sin embargo, un inversionista individual estaría muy satisfecho con una propiedad que le provea decenas o cientos de miles de dólares en ingresos mensuales y que represente un rendimiento alto en su inversión.

El fideicomiso o sindicato tiene gastos de operaciones más altos que el inversionista individual lo cual hace que su rendimiento en forma porcentual sea menor que el del inversionista individual.

Los REIT's pagan dividendos los cuales son obtenidos de las rentas que pagan los inquilinos de las propiedades administradas por el REIT. Es una forma ideal de combinar una gran inversión con la oportunidad de obtener gran liquidez al momento de vender. Existen varias reglas a las cuales los REIT's tienen que acogerse para mantener su status cualificativo.

He tenido la oportunidad de administrar y estar involucrado de lleno en todas todas las facetas de las actividades de uno de los REIT's más grandes de los Estados Unidos y doy fe de que mantener estas reglas es en realidad muy sencillo.

Una de estas reglas en los Estados Unidos es que el REIT tiene que efectuar distribuciones de por lo menos el 90% de los ingresos, lo que ofrece al inversionista la seguridad de que su dinero en forma de dividendos está seguro, ya que lo controla la ley. Esto es comparable con otros tipos de inversión como son las acciones, los fondos mutuos y las notas corporativas.

En realidad los REIT's son una gran oportunidad para el inversionista de tener acceso a bienes raíces de calidad en su portfolio de inversión. Además de lograr una mayor oportunidad para el administrador de los REIT's de crecer su empresa a una velocidad que de otra forma jamás podría alcanzar. Como decía el multimillonario J. Paul Getty: "Prefiero obtener el 1% del esfuerzo de 100 personas a un 100% de mi propio esfuerzo".

Los REIT's han creado una cantidad enorme de fortunas en los Estados Unidos en un período relativamente corto. Usted puede beneficiarse de los REIT's sin importar en que lado esté: dueño, administrador o inversionista.

Históricamente los REIT's han devengado un rendimiento en la inversión mayor al de todas las acciones, bonos y fondos mutuos. Esto se debe en parte a que la inversión está respaldada por propiedades con materiales tangibles (cemento, madera, acero, etc.) vs. acciones en compañías que muchas veces poseen su mayor capital en papeles. Si una compañía de servicios, por ejemplo, tiene problemas financieros y cierra sus operaciones los inversionistas pueden perder su inversión. Si un REIT enfrenta problemas financieros, tiene propiedades que se pueden vender para recaudar capital y continuar operando sin mucha dificultad.

Es importante analizar la compañía que está organizando el REIT y cerciorarse de que en realidad tiene un equipo a nivel ejecutivo con experiencia en los mismos. Simplemente porque alguien conozca de bienes raíces, no necesariamente indica que posee el conocimiento para administrar un REIT.

Antes de invertir en REIT's se debe solicitar un *Prospectus* y analizarlo bien. Por ejemplo, un error común que cometen los principiantes es el de querer abarcar todo tipo de propiedad para la creación de un REIT.

Los REIT's deben ser especializados para ser efectivos y eficientes. Lo que hace a centros comerciales exitosos, no es necesariamente lo que hace a hospitales u hoteles exitosos.

Los factores claves de administración y rendimiento en edificios de oficina no son los mismos que los de almacenes comerciales. Es imperativo que se comparen y se invierta en propiedades homogéneas para una administración más eficiente y un rendimiento mayor y consistente.

Un último consejo para el inversionista y el agente inmobiliario trabajando este campo es evitar dejarse llevar por la falacia de la diversificación.

Warren Buffett, el inversionista más famoso y exitoso del mundo, indica que la diversificación es la excusa de los profesionales de inversión que no conocen su producto para inducirle a usted a invertir en diferentes cosas porque en realidad ellos no saben cuál será la que tendrá éxito, si alguna.

En los bienes raíces comerciales existe más riesgo en la diversificación debido a que es una indicación de que no se conoce realmente el mercado.

Este concepto es muy controversial y lo menciono porque es importante que pensemos y analicemos lógicamente toda inversión al momento de seleccionar el REIT de su preferencia.

Listados

El 85% de las propiedades comerciales son vendidas por el mismo agente listador. Adquirir el listado representa el 50% del esfuerzo en la venta de los bienes raíces comerciales.

Es por esto que debemos enfocar nuestros esfuerzos en una buena presentación que facilite la obtención de un buen contrato.

Contratos Exclusivos

Todos los contratos deben ser exclusivos. Particularmente en el corretaje comercial solemos ver muchos contratos abiertos.

Esto representa la falta de preparación adecuada de parte del corredor. No existe razón alguna para tomar un contrato que no sea exclusivo.

Los contratos abiertos son detrimentales para su cliente vendedor. La realidad es que los contratos abiertos limitan sobremanera el esfuerzo de todos los agentes involucrados hacia la venta de la propiedad.

Además, existe la situación de una propiedad mercadeada por diferentes agentes bajo diferentes precios, lo que ciertamente confunde al posible cliente potencial.

Esto demuestra la falta de profesionalismo tanto de parte suya como de parte del dueño vendedor.

La razón principal de un dueño/vendedor para exigir un contrato abierto es la falta de confianza en usted como profesional para lograr la venta de la propiedad.

En cambio, su justificación como agente en aceptar dicho contrato, es la falta de confianza en usted mismo. Evite tener que aceptar dichos contratos.

Edúquese adecuadamente y conviértase en un experto en su área de especialización. Si su cliente insiste en que solo le otorgará un contrato abierto, debe rehusar profesionalmente tomar el mismo.

Contratos abiertos no le convienen, sin importar el tipo de propiedad. Muchos agentes aceptan dichos contratos bajo el falso pretexto de que hacer esto les abrirá las puertas con este cliente.

Abrir la puerta equivocada nunca es la mejor decisión. Una vez usted abra la puerta de esa manera, no podrá abrirla de otra forma con ese mismo cliente.

Lo que usted necesita son las herramientas necesarias para persuadir a sus clientes potenciales a otorgarle un contrato exclusivo. Esas son parte de las herramientas que le ofrecemos en este libro.

Una vez comience a aplicarlas, su cliente será su mejor aliado al momento de otorgar contratos. Mejor aún, al momento de referirle a sus amistades y conocidos.

Términos del contrato

Esta es otra área en la cual muchas veces se pierde una venta. Especialmente con agentes inmobiliarios del mundo residencial los cuales manejan los contratos comerciales que obtienen como si estos fueran residenciales. He visto contratos comerciales con un término de tres meses.

Esto como regla no es suficiente para vender propiedad comercial alguna. Puede que en algún momento haya existido una condición en el mercado que amerite el uso de un término tan corto, sin embargo, esto no es la norma.

Actualmente, bajo las condiciones del mercado durante este escrito, nuestra empresa acepta solamente contratos exclusivos con un mínimo de un año. Existen otros por cinco años debido al tipo de propiedad, pero todos están basados en estudios de mercado.

No acepte contratos por términos menores de lo que establece el mercado para la venta de dichas propiedades simplemente por el hecho de obtener el listado, aunque este sea exclusivo.

Comisiones

La comisión a cobrar es otro elemento importante del contrato que debemos aclarar. Muchos agentes que provienen del campo residencial tienden a rebajar el porcentaje de comisión a cobrar en el campo comercial basados en la cantidad de la transacción la cual es mayor.

Por lo general, están muy satisfechos con obtener en una venta de $500,000 el 5% de comisión. Esto representa la cantidad de $25,000, si listaron y vendieron por sí solos; $12,500, si tuvieron que compartir esta comisión con otro agente o con su compañía de corretaje.

Por lo que al obtener un contrato para la venta de una propiedad comercial de 2 millones de dólares, estos no tienen ningún problema cobrando el 3 porciento por realizar dicha venta.

Razonan, entonces, que $60,000 son una buena partida y que si tuvieran que compartir la misma con otro agente o con su compañía la cantidad de $30,000 por una venta es todavía una buena comisión. Proceden a cobrar tres porciento para aumentar la posibilidad de adquirir el contrato.

Esto es contraproducente en el corretaje comercial ya que olvidan que la cantidad de transacciones comerciales que realizarán es menor que las residenciales a las cuales están acostumbrados.

Olvidan, también, que la comisión representa el mismo porcentaje sin importar la cantidad de la transacción. El trabajo a realizar en el corretaje comercial es mayor y muy especializado lo cual justifica el cobro de esta comisión sin importar el tamaño de la transacción.

Aumentar la comisión no es muy prudente; rebajarla tampoco lo es. Existen ocasiones y cantidades donde la comisión se debe ajustar y esto por lo general ocurre con transacciones mayores de 10 millones de dólares y así sucesivamente mientras se acrecenta el valor de la transacción.

No obstante, habiendo participado en transacciones de cientos de millones de dólares no he visto muchas en las que aplique un porcentaje menor al 2.5%.

En nuestra empresa actualmente utilizamos la siguiente tabla como guía para la comisión a cobrar:

Hasta $10,000,000	6%
10 M - 50 M	4%
50M - 100M	3%
Sobre 100 Millones	A negociar

De igual modo, toda esta información se les provee a los clientes antes de visitarlos para la presentación de listados. Nuestra empresa ofrece un paquete de información sobre nuestros servicios, estrategias de mercadeo y tarifas previo a la visita de presentación para obtener el listado.

Cuando se logra obtener la cita de presentación sabemos que el cliente está enterado de nuestras tarifas y de que existe la posibilidad de que pudiera objetar el porcentaje de comisión. Por lo que ya lo hemos anticipado y estamos preparados para defenderla.

El hecho de que el cliente potencial nos invite a sus oficinas para realizar una presentación es indicativo de que existe un interés genuino de realizar negocios con nuestra empresa y que el material de apoyo enviado cumplió su trabajo.

Estas tres condiciones antes mencionadas son esenciales para lograr el éxito en su carrera comercial. El contrato de listado es la base que fundamentará su trabajo. No permita que nadie le dicte de qué forma correr su negocio. Si usted no tiene control sobre su negocio, tampoco podrá obtener control sobre su vida.

1031 Exchange

En los Estados Unidos existe el Código de Rentas Internas Federal número 1031 el cual permite a los inversionistas realizar intercambios de propiedades.

Esto es similar a una permuta entre propiedades con el fin de evitar el pago de contribuciones en la ganancia de capital de una transacción donde el inversionista vende su propiedad.

La transacción de venta y la transacción de compra no tienen que efectuarse simultáneamente. Aunque podemos comparar este tipo de transacción con una permuta, en realidad representa un intercambio.

Esta forma de realizar transacciones es muy común entre personas de gran caudal y que desean posponer o evitar totalmente el costo contributivo.

Las mismas obtienen dinero de sus propiedades a través del pago de renta de los inquilinos y mediante refinanciamientos para acceder su equidad por adelantado y sin penalidades.

Es importante conocer que esto es una forma muy común de operaciones para algunos inversionistas. Aunque el país donde usted resida no reconozca este tipo de transacción, es esencial que como agente inmobiliario conozca cómo estas trabajan para poderse comunicar más efectivamente con sus clientes.

Este programa es una excelente alternativa para aquellos que desean vender sus propiedades, pero temen tener que pagar una cantidad onerosa en contribuciones.

El código permite al inversionista posponer el pago de contribuciones. En realidad se puede estructurar de forma

"Lo único que quiero hacer es terminar la pelea. Si esa campana suena y yo estoy aún de pie; sabré por primera vez en mi vida que no soy simplemente un cualquiera del vecindario".—Rocky Balboa

tal que nunca se paguen las mismas. Todo esto siguiendo las estipulaciones creadas por la misma ley.

Esta es una oportunidad donde su conocimiento puede brindar grandes ventajas a sus clientes, permitiendo que estos obtengan un rendimiento mucho mayor en sus inversiones.

Los requisitos para que estos intercambios se puedan efectuar son los siguientes:

1. Las propiedades que se intercambien deben ser similares. Esto es fácil ya que la ley es muy flexible en cuanto a lo que representa la palabra *similar*.

2. El vendedor/dueño de una propiedad tiene 45 días desde la fecha del cierre de su venta para identificar hasta tres propiedades que cualifiquen como reemplazo por las vendidas y las cuales se consideren como posibilidades para compra.

3. El vendedor/dueño tiene 180 días desde el cierre de la venta de su antigua propiedad para efectuar el cierre de compra de la propiedad de reemplazo.

4. La ley estipula que los recaudos de la venta de la propiedad inicial se depositen en una cuenta PLICA bajo lo que se considera un *Intermediario Cualificado.*

   El gobierno de los Estados Unidos determina quién es un *Intermediario Cualificado.* En ningún momento se le permite al dueño/vendedor tener acceso a este dinero. Si el dinero pasara por las manos del dueño/vendedor, este inmediatamente se vería obligado a pagar las contribuciones pertinentes.

5 La persona que tenía el título de la propiedad vendida tiene que ser la misma persona que posea el título de la nueva propiedad. La titularidad de la nueva propiedad o propiedades no se puede transferir. Si esto ocurriera, el titular de la propiedad vendida se vería obligado a pagar las contribuciones correspondientes.

6 Ya que el objetivo de este tipo de transacciones es evitar el pago de contribuciones todos los recaudos deben ser invertidos en la nueva propiedad. Esto requiere que la nueva propiedad sea de igual o mayor valor.

Una vez cumplidos estos requisitos, el dueño/vendedor no tendrá que pagar contribuciones sobre la venta de propiedad. Conocer estas estrategias le ofrece al agente inmobiliario una gran ventaja al momento de negociar y retener los clientes más sofisticados y exigentes.

Arrendamientos

Los arrendamientos representan un tipo de transacción muy diferente a la compraventa de propiedades. Muchas empresas que pudieran fácilmente comprar o construir, optan por arrendar como parte de su estrategia de negocios. Esto ofrece al agente inmobiliario una gran oportunidad de ingresos de forma relativamente consistente.

Entre los tipos de agentes inmobiliarios, encontramos los generalistas y los especialistas. Especializarse es la mejor opción para todo profesional de bienes raíces. Esto es cierto aún más en el campo de arrendamientos. Mientras más especializada sea su práctica, mejor será la oportunidad de generar mayores ingresos y justificar a su vez una mayor comisión.

Diferentes compañías calculan su comisión por concepto de arrendamiento de una manera distinta. Algunas cobran un porcentaje del alquiler total; otras, una tarifa fija.

Independientemente de su política en particular, la cantidad de dinero suele ser muy similar, ya sea este calculado como porcentaje o tarifa fija.

La renta en los alquileres comerciales se expresa en dólares por pie cuadrado anuales. No obstante, existen mercados donde pudiera encontrar que la misma se expresa en términos mensuales.

Es de suma importancia estar claro cuál es el estándar en su mercado para evitar confundir a su cliente. Los clientes, por lo general, calculan la renta de forma mensual ya que la incluyen como parte de los gastos operacionales mensuales.

Si definir la renta de forma mensual resulta más sencillo para su cliente, haga este cálculo y edúquelos con respecto a la forma en que se suele expresar la misma. En la mayoría de los casos esta es anual.

Tipos de contratos de Arrendamiento

Existen también varios tipos de contratos de arrendamiento. Le presentamos los más comunes con sus características principales. Tome en consideración que el tipo de contratos varía de mercado en mercado. Es importante que usted se familiarice con los contratos más usados en su mercado.

Contrato Bruto

El inquilino paga su renta y el arrendador paga todos los gastos adicionales con la renta recibida.

Contrato Neto

El inquilino paga su renta básica y la porción de las contribuciones que le pertenecen a su espacio arrendado como proporción del total de la propiedad.

Contrato Doble Neto

El inquilino paga su renta básica más las contribuciones y el seguro de propiedad.

Contrato Triple Neto

El inquilino paga su renta básica más las contribuciones, el seguro de propiedad y todo el mantenimiento incluyendo el techo, las paredes y todo tipo de mejora estructural.

Absolutamente Neto

El inquilino paga su renta básica más absolutamente todos los gastos de la propiedad.

Debemos tener cautela con los contratos. Muchas veces existen contratos triple netos que obligan al inquilino a pagar su renta básica más todos los gastos de la propiedad, resultando de esta manera ser un contrato absolutamente neto.

En algunos mercados, se denominan los contratos absolutamente netos como triple netos. En otros, se utilizan ambos términos.

Los bienes raíces permiten obtener un rendimiento en la inversión basado en el precio total de la compra, no la inversión inicial.

La única forma de conocer el tipo de contrato es leyendo todos y cada uno de los contratos que componen una propiedad.

Pudiera ser que el contrato lea "Contrato Triple Neto" y que usted encuentre que el arrendador tiene algún tipo de responsabilidad adicional, como por ejemplo, la seguridad de la propiedad.

Es preponderante que usted ignore lo que le indica el arrendador y lea detalladamente los contratos de arrendamiento para determinar con certeza el tipo de contrato que representa.

Los contratos tienen una enorme influencia sobre el valor de la propiedad. Como ya hemos discutido en este libro; mientras mayor sean las responsabilidades financieras del arrendador, menor será el valor de la propiedad y viceversa.

Es muy común que existan varios tipos de contratos en una misma propiedad. Si usted va a listar una propiedad con 20 inquilinos, es necesario leer los 20 contratos para determinar con precisión el valor de la misma y pueda negociar muy informado y seguro.

En varias ocasiones he tenido que leer y estudiar sobre 800 contratos de una misma propiedad, encontrando en estos una gran variedad de concesiones y cláusulas que difieren de la información provista por el arrendador.

Esto ha resultado en créditos y ajustes realizados al precio de compraventa. Nunca tome decisiones basadas en la información que le provee el dueño de la propiedad.

Verifique todos los contratos de arrendamiento y cerciórese de que la data provista es correcta.

También existen contratos que estipulan como pago de renta adicional un porcentaje de las ventas del inquilino. Estos se conocen como contratos de porcentaje de renta.

El contrato estipula un límite de partida para comenzar a cobrar renta adicional basada en las ventas. Por ejemplo, un contrato puede permitir al arrendador cobrar como renta adicional un 5% del total de las ventas que sobrepasen dos millones de dólares en un período de un año.

El razonamiento en el que está basado este concepto es que la localización y el mercadeo de parte del arrendador es en gran medida causante de dichas ventas.

El arrendador infiere que si el inquilino hubiese estado en otra propiedad tal vez no hubiera tenido el mismo volumen de ventas.

De esta forma, el arrendador se convierte en socio empresarial del inquilino ofreciendo una localización privilegiada y sistemas de mercadeo y operacionales que promueven al alza en las ventas del inquilino.

GASTOS COMUNES (CAM)

Otros gastos que encontraremos en los contratos de arrendamiento son aquellos que cubren las áreas comunes de la propiedad. Estos se conocen como CAM (Common Area Maintenance) por sus siglas en inglés.

Al igual que la renta, estos se expresan en dólares por pie cuadrado. Los gastos CAM cubren elementos tales como: pasillos, área de estacionamiento, aceras, áreas verdes, rótulos de la propiedad, iluminación, baños, acondicionador de aire, calefacción y otros. Cabe mencionar que este es un tipo de costo para el inquilino que puede no estar sujeto al contrato de arrendamiento. En la mayoría de los casos, el arrendador se reserva el derecho de ajustar estos gastos basado en posibles gastos impredecibles que puedan surgir en el futuro.

El inquilino debe por lo tanto establecer un tipo de reserva en adición a su renta, por si ocurriera una situación inesperada que aumente el costo por pie cuadrado de CAM. Esta situación aumentaría la renta efectiva a pagar.

Determine la necesidad del cliente

La siguiente lista comprende preguntas que le ayudarán a determinar la necesidad de su cliente cuando busca un espacio comercial para arrendar:

¿Qué tipo de propiedad desea arrendar?

¿Necesita estar en un área en particular?

¿Necesita estar cerca de aeropuertos?

¿Cuántos estacionamientos necesita?

¿Desea estacionamientos bajo techo?

¿Necesita estar en un piso o altura en particular?

¿Desea oficinas con vista al exterior?

¿Cuántas oficinas necesita?

¿Necesita área de recepción?

¿Necesita espacio para almacenamiento?

¿Necesita techos altos?

¿Necesita paredes acústicas?

¿Necesita caja fuerte?

¿Necesita instalaciones eléctricas para equipos especiales?

¿Desea baños privados dentro de las instalaciones?

¿Cuál es el tamaño ideal para su operación?

¿Cuántas personas van a ocupar las instalaciones?

¿Cuál es su presupuesto para el alquiler?

¿Cuál es el término de tiempo por el cual necesita alquilar?

¿Cuándo espera mudarse?

¿Cuál es la situación de su alquiler actual?, si aplica

¿Está considerando ampliar sus operaciones en el futuro?

¿Necesita alambrado de alta velocidad para la internet?

¿Necesita zona de carga?

¿Necesita cuarto para servidores de computadoras?

¿Cuál es su necesidad de transportación pública?

¿Necesita proximidad a vías de transporte principales?

¿Cuán frecuente son las visitas de sus clientes?

¿Necesita tener grandes salones de conferencias?

¿Necesita seguridad las 24 horas en la propiedad?

¿Cuáles son sus horas de operaciones?

Cómo se Miden los Espacios

Todas las propiedades utilizan el pie cuadrado como unidad básica de medición. Sin embargo, existen varias formas de determinar el cálculo final.

Pies cuadrados brutos es la forma más común de expresar el tamaño en propiedades industriales, almacenes y edificios individuales (stand-alone).

En estos se miden los espacios tomando en consideración el grosor de las paredes exteriores. Esto significa que si usted mide estos edificios por dentro de pared a pared el resultado será menor de lo que expresen los documentos de la propiedad.

Es necesario añadir a esta medida el grosor de las paredes exteriores, lo cual pudiera representar una cantidad considerable de pies cuadrados, basado en el tamaño total del edificio.

Para determinar las proporciones de espacios dentro de edificios que poseen varios inquilinos, debe utilizar la medida de pared a pared. Sin embargo, tiene que añadirle a esta el 50% del grosor de las paredes divisorias del espacio de inquilino a otro.

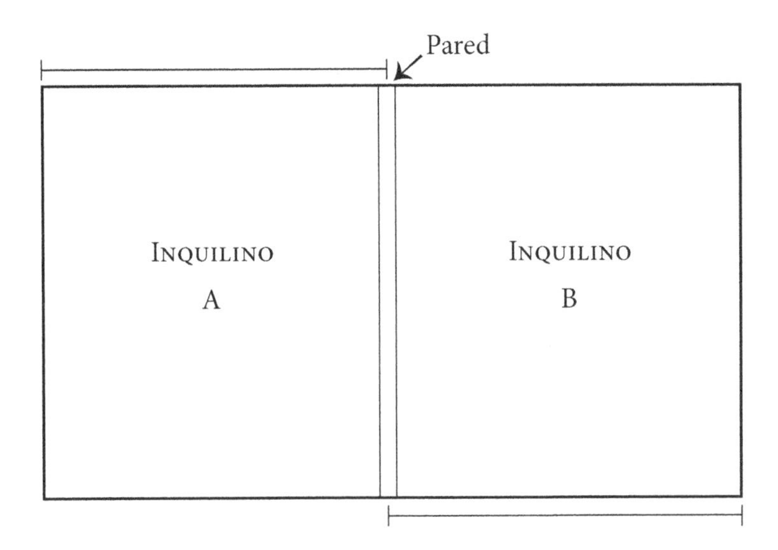

Esto aplica mayormente a edificios de oficina y centros comerciales. Pudiera también aplicar a propiedades industriales de almacenes que poseen múltiples inquilinos.

Los alquileres de oficina presentan otro fenómeno interesante que debemos considerar. En este caso el espacio utilizado es menor del espacio por el cual se está pagando renta.

Esto es así debido a que existe lo que llamamos el *pietaje utilizado* y el *pietaje rentado*. El pietaje utilizado es aquel espacio que físicamente se utiliza para establecer la oficina.

El pietaje rentado incluye, además, aquellas áreas necesarias para el uso de la oficina, pero que no son parte de la misma. Conocemos estas como "áreas comunes".

Las mismas pudieran incluir algunas o todas las siguientes: baños públicos, pasillos, vestíbulo y otras áreas de servicio. Elementos de penetración vertical (elevadores, escaleras, incineradores, conductos de basura, etc.) no son considerados como parte del pietaje rentado.

La diferencia entre el pietaje utilizado y el pietaje rentado se conoce como el factor de pérdida. Al identificar propiedades potenciales para sus clientes es importante verificar cuál es el factor de pérdida.

Existe una relación inversa entre estos dos conceptos. Mientras más alta sea la proporción entre estos dos, menor será el espacio que su cliente tendrá disponible y viceversa.

Es muy común que el factor de pérdida alcance el 20%. Esto significa que el 20% de la renta pagada pertenece a espacios que su cliente no puede utilizar para la privacidad de su oficina.

Cabe mencionar que estos espacios sí son utilizados, pero fuera de las facilidades alquiladas. Asegúrese de orientar a sus clientes adecuadamente y evite sorpresas al momento de culminar sus transacciones de arrendamiento.

CALCULADORAS

Una de las herramientas más poderosas en el corretaje comercial es una calculadora financiera. Estas facilitan la mayoría de los cálculos que se realizan para efectos de análisis financieros y de financiamiento.

Existen muchos modelos en el mercado. Uno de los más económicos y sencillos de usar es el modelo **HP 10bII** fabricado por la compañía Hewlett Packard®.

Esta calculadora facilita, entre otros, los siguientes cálculos:

Pago de Hipoteca

Valor Presente

Valor Futuro

Balance de Hipoteca

Intereses a Pagar

Interés Nominal

Interés Efectivo

Amortizaciones

Rendimiento

Flujos de Efectivo

Esta calculadora, al igual que otras financieras, permite que usted trabaje con mayor rapidez. De esta manera, puede contestar al instante las preguntas de sus clientes.

Adquiera una y tómese el tiempo de conocerla para que la domine y pueda sacarle el mayor provecho.

Actitud

El ingrediente más importante para alcanzar el éxito en el corretaje comercial es su actitud. Todos conocemos que es importante tener una actitud mental positiva, una actitud ganadora.

Sin embargo, muchas veces eludimos el éxito que tanto añoramos precisamente por la falta de dicha actitud en nuestras vidas y en nuestro diario vivir.

Esto se debe principalmente a que vivimos en un mundo que se regocija en las malas noticias, en los problemas y dificultades. Si no logramos salir de ese carril, nuestro destino será sombrío.

La prensa que vende es la sensacionalista. Mientras más oscura la noticia, más ejemplares se venden. Por lo que no debe sorprendernos el que estemos rodeados diariamente de malas noticias.

No obstante, la realidad es que muchas más cosas positivas que negativas ocurren en nuestro diario vivir. Lo bueno, lo positivo, lo enaltecedor es más común y más abundante que lo malo, lo negativo y lo denigrante. Aunque no escuchemos noticias positivas, estas sí ocurren a nuestro alrededor.

Es por esto que debemos tomar control de todo material que de una manera u otra influye en nuestras vidas. Logramos esto principalmente mediante la lectura positiva.

También existen excelentes programas de audio que nos proporcionan la oportunidad de controlar nuestra actitud a la vez que nos educan.

Es importante que nos demos a la tarea de establecer un plan de desarrollo personal que vaya a la par con nuestra personalidad y estilo de vida.

La mayoría de los negocios que usted logre estarán determinados por su actitud hacia la vida y el compromiso con su éxito. Necesitará obtener conocimientos técnicos; pero más importante aún, necesitará una actitud impenetrable.

Parte de este programa es evitar, lo más que pueda, la influencia negativa tanto de la prensa escrita como de los programas de televisión.

Ante todo contacto con los medios, pregúntese: ¿conocer esto, me enaltece o me deprime? ¿Es necesario esta exposición para el logro de mis metas? ¿Soy una persona mejor por haber sido expuesto a esta información? ¿Es este el mejor de los recursos para mejorar la calidad de vida de mi familia y seres queridos?

Una vez usted decida adquirir control de las cosas que le influyen, su vida será muy remuneradora. Como decía Napoleón Hill: "Todo lo que su mente puede concebir y creer, su mente puede lograr".

Adquiera la creencia de que usted puede lograr ser exitoso en una de las mejores carreras que existe y logrará éxitos jamás soñados. La frase 'creer es poder' es muy cierta.

Sin embargo, es necesario que usted sea partícipe de un campo el cual le ofrezca realmente la posibilidad de lograr sus metas a través de los recursos disponibles.

Este campo es el corretaje comercial. Usted puede creer que puede llegar a la luna. No obstante, si lo que tiene es una bicicleta, esa creencia no le servirá de mucho. Los bienes raíces comerciales son el vehículo adecuado para alcanzar el objetivo de su creencia.

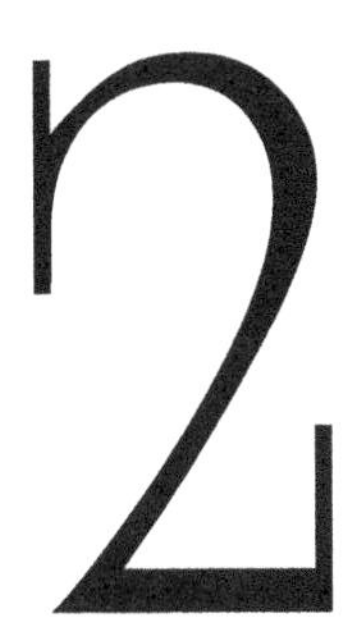

Educación

"El conocimiento es el perfeccionamiento del alma".

—San Francisco de Asís

2

Educación

Decía San Francisco de Asís que "el conocimiento es el perfeccionamiento del alma". Todas las profesiones requieren que usted obtenga conocimientos constantemente para ejercer de forma superior.

Esto es aún más importante en el campo del corretaje de bienes raíces el cual es muy cambiante. Muchas personas que llevan 20, 30 o 40 años ejerciendo la profesión piensan que tienen 20, 30 o 40 años de experiencia.

Esto no es así. Su experiencia no la determina la cantidad de años que tenga en la industria, sino la cantidad de conocimientos y experiencias vividas.

Existen personas que llevan 20 años en la industria y solo tienen dos años de experiencia repetidos 10 veces. Otros, tan solo llevan ejerciendo dos años; pero tienen más de 20 años de experiencia.

Los resultados son muestra de los años de experiencia que posee un agente de bienes raíces, no los años que lleve ejerciendo.

Desarrollo Personal

Para lograr ser excelente en su carrera es necesario que se comprometa con su desarrollo personal.

Es esta disciplina, más que ninguna otra, la que le brindará el éxito que tanto desea. Aprender es tarea de todos.

Un estudio reveló que los corredores más exitosos de la nación estadounidense estudian un promedio de cinco libros mensuales. La educación a su vez le provee conocimientos esenciales y una autoimagen saludable.

Existen muchos libros fundamentales para el desarrollo personal. Es importante estudiar libros que ofrezcan sistemas efectivos y automáticos para organizar su negocio y las actividades administrativas y operacionales de su negocio.

También, tiene que ser muy efectivo en el uso de la tecnología. Hoy día, el uso correcto de la misma puede significar la diferencia del éxito o el fracaso en su negocio. Otra área a dominar es la administración del tiempo.

Este es uno de los recursos más limitados que tenemos y no podemos permitir que la falta de organización de otras personas afecte nuestro negocio.

Administrar adecuadamente el tiempo implica hacer cambios en nuestra vida y tomar decisiones para el comportamiento de los demás para con nosotros.

Muchas personas ignoran por completo las técnicas de administración de tiempo, por lo que no pueden percatarse de que están desperdiciando el suyo.

Por lo tanto, tenemos que aprender técnicas que podamos utilizar para no permitir que esto ocurra. Una buena inversión en su futuro es la de darse a la tarea de dominar el tema de la administración del tiempo.

Existe también una gran cantidad de información con respecto al comportamiento de los clientes. Es esta información la que debemos analizar para conocer a fondo cuáles son las estrategias necesarias para lograr llegar a nuestros clientes y persuadirlos a hacer negocio con nosotros.

Estudie los análisis demográficos, sicográficos y sociales de sus prospectos clientes. Esto le dará una gran ventaja competitiva.

La mayoría de los agentes de bienes raíces toman decisiones de mercadeo, publicidad y actividades conducentes a adquirir clientes de forma inadecuada.

Muchas veces simplemente hacen lo que los demás agentes están haciendo, sin tomarse el tiempo ni el esfuerzo de medir los resultados de estas actividades.

Análisis financieros

Si interesa trabajar el campo comercial, es imperativo que domine el conocimiento técnico necesario y utilizado en el mismo. Debe conocer todo tipo de análisis financiero y sus medidas.

Debe tener además, un vasto conocimiento en técnicas de financiamiento y los requisitos que conforman cada una de las mismas.

Debe conocer, además, cómo preparar a sus clientes para lograr una presentación de solicitud de financiamiento adecuada y con grandes posibilidades de ser aprobada.

Negociaciones

Otro tema de igual importancia es el de la negociación. Las técnicas de negociación utilizadas por usted pueden significar la diferencia entre obtener un contrato o no obtenerlo.

Esta es un área muy extensa que incluye conocimiento del comportamiento humano al igual que sus motivaciones. Con este conocimiento podemos estar mejor preparados para posicionar nuestros clientes de forma ganadora.

Contratos

Tenemos que conocer cómo establecer cláusulas ganadoras en nuestros contratos. Existe mucha información sobre cómo crear contratos que protejan a nuestros clientes y a nuestra empresa.

El éxito de una buena transacción comienza con un buen contrato. Esto es particularmente importante en el corretaje comercial.

Muchas veces la cantidad de dinero que un inversionista está dispuesto a pagar por una propiedad comercial está directamente relacionada con su posición con respecto a las cláusulas del contrato.

Compensación

El porcentaje de comisión que usted cobra también es un elemento muy importante en la determinación de su éxito. Mientras más alta la comisión que usted cobra, mayor será la percepción de parte del cliente de su peritaje.

Cobre siempre la más alta comisión que pueda. Claro está, la misma debe ser justa y validada por un excelente trabajo y valor añadido a su cliente.

Ningún cliente se negará a pagarle la comisión que usted se merece. Lo importante es trabajar ardua y diligentemente para merecer la mejor compensación por sus esfuerzos.

Por ejemplo, una vez me llamó un cliente que deseaba vender su propiedad. Realicé entonces un detallado análisis financiero y de mercado para determinar el mejor precio de listado para la misma.

Mi cliente indicó que solamente pagaría 2.5% de comisión y que el precio de venta que deseaba establecer era 4.5 millones de dólares. Le indiqué que nuestra firma tomaría el contrato de listado por no menos de 5% y con un precio de venta no menor a 5 millones de dólares.

Mi análisis indicaba que la propiedad se debía vender en 5.1 millones de dólares. Por lo que opté por mostrarle al cliente que aun pagando 5% de comisión y vendiendo por debajo de nuestro análisis de valor, obtendría una ganancia que sería mayor si hubiese vendido su propiedad por la cantidad inicial a un 2.5% de comisión.

El problema en realidad no era la comisión a pagar, sino el valor que el cliente pensaba obtendría por los servicios de su agente de bienes raíces. Mostrar peritaje en un tipo de negocio como este, nos ofreció una ganancia mucho mayor.

Documentar detalladamente y cuantificar con precisión la ganancia del cliente/vendedor nos permitió obtener el contrato. Este es el tipo de situación que ocurre todo el tiempo.

"Si usted hace por dos años lo que la mayoría de las personas no hacen, usted podrá vivir el resto de su vida como la mayoría de las personas no pueden".—Wade Cook

Debemos, por lo tanto, convertirnos en los mejores profesionales de nuestra industria. Estudiar constantemente nuestro negocio para así dominar el mercado.

De esta manera, estaremos en mejor posición para ofrecer el mejor servicio a nuestros clientes. El tipo de servicio que estos se merecen.

Mercadeo

Otra área de estudio y dominio es el área de mercadeo. Por lo general, las personas y las empresas efectúan las mismas estrategias de mercadeo que otros realizan.

Pocas veces se toman el tiempo para analizar y cuantificar los resultados de las distintas formas de mercadeo. El próximo capítulo está dedicado en su totalidad a esta disciplina.

Todo mercadeo debe realizarse con una meta definida de resultados a obtener y si no los obtenemos, es necesario reemplazar el medio de mercadeo, el mensaje o la audiencia.

Una de éstos tres es responsable por los resultados de todo esfuerzo de mercadeo: mensaje, medio y audiencia. Usted debe tener los tres alineados de forma tal que se complementen.

Si uno de estos tres no está siendo utilizado correctamente, usted obtendrá solo resultados pocos satisfactorios.

Culturas

Parte del pleno dominio de nuestra industria y negocios en general es conocer a fondo el comportamiento humano y los comportamientos de las distintas culturas.

La tecnología ha convertido los negocios en un mundo global. No es extraño realizar negocios con individuos que nunca llegamos a conocer en persona.

Sin embargo, debemos tener cierto conocimiento de las distintas culturas y aprender estrategias para lidiar con estas idiosincrasias de forma efectiva.

La mayoría de los orientales, por ejemplo, se dan a la tarea de conocerle antes de realizar negocios con usted. Los norteamericanos realizan negocios de forma mucho más rápida y a veces tienen dificultad con los orientales al verse forzados a esperar cierto tiempo antes de comenzar a hablar sobre negocios.

Hay culturas que desean hacer negocios mientras cenan o almuerzan; algunos lo hacen antes de comer, otros después de comer.

Algunas culturas toman bebidas alcohólicas durante sus comidas de negocios; otras, lo encuentran ofensivo. He tenido la oportunidad de interactuar con muchas culturas durante transacciones de negocios.

De igual manera he tenido que interactuar con varias personas de distintas culturas entre sí en una misma cena. Esta es una situación delicada ya que sus culturas en ciertas ocasiones han sido opuestas y conflictivas.

Requiere, entonces, conocer relativamente bien todas las culturas involucradas para manejar dicha situación. A veces, es cuestión de mantener un balance entre lo que algunos consideran conducta aceptable y los que los otros consideran tolerable.

No empero, como anfitrión y mediador en la mayoría de las veces, la responsabilidad caerá siempre sobre usted.

Así que aprenda un poco de historia de todas partes, las costumbres sociales y de negocio, filosofías y gustos, pero sobre todo sea flexible y siempre genuino en su comportamiento. Honre cada cultura y tendrá muchos negocios exitosos.

PUBLICACIONES

Hoy día existe una vasta variedad de publicaciones. Muchas de estas son gratis a través de la Internet. Todo profesional debe suscribirse a varias de estas publicaciones para mantenerse actualizado.

Una gran ventaja de las publicaciones virtuales es la rapidez y facilidad que tienen para mantenernos informados al momento.

Vale la pena mencionar que también existen servicios de listados que ofrecen una gran cantidad de propiedades que podemos mercadear a nuestros clientes.

Muchos de estos servicios son gratuitos. Algunos tienen que ser accedidos; otros le llegan a través de su correo electrónico, facilitándole así la realización de negocios.

Cualesquiera que sean las publicaciones que usted determina recibir, asegúrese de obtener un buen balance sobre los diferentes temas que afectan a la industria: leyes, contratos, mercadeo, ventas, motivación, financiamiento, análisis financieros, análisis de viabilidad, entre otros.

"Conocer y no hacer es todavía
no conocer".—Proverbio Zen

Libros Recomendados

Cómo Ganar Amigos e Influir sobre las Personas

Este es el libro clásico de cómo tratar con las personas de forma efectiva. El autor **Dale Carnegie** se dio a la tarea de estudiar e investigar las estrategias más efectivas que han mostrado ser muy exitosas, aun muchos años después de la publicación original de este libro.

Piense y Hágase Rico

Escrito por **Napoleón Hill,** este es un clásico de superación personal. Millones de personas lo consideran su favorito y acreditan al mismo sus éxitos. Este libro es el resultado de un estudio minucioso sobre las personas más exitosas del siglo XX. Sus principios son tan efectivos hoy día como lo fueron cuando fue publicado originalmente.

Nos Veremos en la Cumbre

Uno de los libros más influyentes en el desarrollo de actitudes positivas. Su autor **Zig Ziglar** nos muestra cómo lograr superarnos y mejorar nuestra condición de vida. A través de interesantes historias se ofrecen cientos de ejemplos que ayudan en el desempeño de las labores de todo profesional.

El Sistema Infalible para Triunfar

Escrito por **W. Clement Stone.** Este libro muestra con lujo de detalles los pasos que tomó el autor hasta lograr crear una de las compañías de seguro más exitosas de la historia. Son estos mismos principios los que podemos utilizar para obtener resultados excelentes en nuestra carrera profesional.

El Hombre más Rico de Babilonia

La lectura de este libro que tiene en sus manos "Calle 101: Elementos Fundamentales del Corretaje Comercial" le ayudará a ganar mucho dinero; la lectura de "El Hombre más Rico de Babilonia" le ayudará a quedarse con ese dinero y hacerlo crecer. **George S. Clason** expone de forma clara y concisa el secreto de cómo crear una vasta fortuna.

La Magia de Pensar en Grande

Láncese al éxito con el poder de su creencia. Conquiste el éxito creyendo que puede tenerlo. Destruya la incredulidad y el poder negativo de su vida. Haga que su mente produzca grandes pensamientos. Planee un programa concreto para edificar su éxito. **David J. Schwartz** nos enseña a descubrir por qué el poder de su pensamiento es más importante que la mera inteligencia.

Padre Rico, Padre Pobre

Robert Kiyosaki nos muestra la diferencia entre una mentalidad de abundancia y una de escasez. Usted aprenderá las actitudes y el comportamiento que le llevarán al éxito financiero.

Cómo Hacerse Rico sin Preocupaciones

Napoleón Hill nos invita a que conozcamos nuestra mente y vivamos nuestra vida. Cierre las puertas al pasado. Este libro presenta la actitud mental básica que produce riqueza y paz espiritual. Tan pronto como se libera uno del temor, queda libre para vivir. Aprenda cómo desarrollar un ego sano. Practique el poder mágico de la fe.

La Universidad del Éxito

Este libro contiene un curso completo en el arte y ciencia de alcanzar el éxito. Incluye lecciones de 50 expertos que ayudarán al lector a obtener un crecimiento excepcional en un período relativamente corto de tiempo. Este libro escrito por **Og Mandino** es una escuela muy especial que le llevará paso a paso por el camino del triunfo.

El Millonario de al Lado

Conozca los hábitos de conducta de los millonarios. Son las disciplinas que usted desarrolle las que le llevarán a la libertad financiera. El autor **Thomas J. Stanley** se dio a la tarea de estudiar a los millonarios en todas partes del mundo y encontró las claves para construir una gran riqueza que entre otras cosas es el resultado de una ética sólida y sostenida.

Cómo el Hombre Piensa

Este es un libro muy pequeño, pero con una gran enseñanza. Es un tratado acerca del poder del pensamiento. Su objetivo es ayudarnos a descubrir la verdad. Somos 100% de lo que pensamos. De forma clara y sencilla el autor **James Allen** nos involucra en una lectura sabrosa y de plenitud de vida.

Ventanas Rotas, Negocio Roto

Este libro nos muestra con lujo de detalles el poder de los detalles pequeños. Grandes empresas y ciudades exitosas han utilizado estos principios para efectuar cambios monumentales. El autor **Michael Levine** nos explica unos principios que han mostrado ser muy exitosos en distintas facetas de la sociedad. Aplique estos a su carrera y triunfará de forma acelerada.

3

Mercadeo

"Ganarme una comisión de un millón de dólares es lo más fácil que he hecho en mi vida; creer que me pudiera pasar a mí fue lo más difícil y me tomó 37 años".

—Glazer Kennedy Member

3

Mercadeo

Una de las tareas principales en el desarrollo de su negocio de corretaje comercial es identificar a los clientes potenciales dentro de la especialidad que usted ha escogido. Estos pueden surgir de muchas partes como: amistades, referidos, asociaciones, empresas, vecinos, familiares, revistas, periódicos, boletines, etc.

Los mismos también pueden comprender distintos sectores como: manufactura, profesionales, inversionistas, mayoristas, detallistas, desarrolladores, servicios, exportadores, etc.

Sin embargo, la mejor forma de buscar clientes es a través de publicaciones de negocios locales. Estas suelen publicar artículos sobre los negocios más exitosos. Estas son las personas con quien usted querrá trabajar.

Para tener un negocio grande, tiene que pensar en grande. Estas publicaciones, además, incluyen listas de negocios por industrias en orden de tamaño; a veces, basados en ventas anuales, número de empleados o cualquier otra configuración pertinente a la industria.

El estudio de estas listas le facilitará identificar qué tipo de personas o compañías son apropiadas para la especialidad que ha escogido. Diseñe, entonces, su material de mercadeo para llegar a estos.

Muchos de sus clientes potenciales son millonarios. Hoy día en Norteamérica se dividen los millonarios en tres categorías: nivel bajo, nivel medio, nivel alto.

El nivel bajo comprende aquellos con activos entre un millón y 10 millones de dólares. Al nivel medio pertenecen los que poseen activos entre 10 millones y 100 millones de dólares.

El nivel alto lo conforman aquellos con activos entre 100 millones y un billón de dólares. Personas con activos sobre un billón de dólares se llaman billonarios y pueden ser clientes potenciales, pero por ahora nos concentraremos en las tres categorías antes mencionadas.

Cabe mencionar que a la fecha de publicación de este libro se considera *rico* a aquellas personas con activos sobre siete millones de dólares. Esto se debe a la inflación. Es posible ser millonario y no ser rico, vocablos que en el pasado eran sinónimos.

Tipos de Clientes Millonarios

Nivel Bajo

Estos son profesionales, doctores, abogados, diseñadores y ejecutivos, entre otros. Tienen altas tendencias a endeudarse.

Estos millonarios necesitan ingresos para continuar con su estilo de vida. Por lo general, les gusta aparentar ser millonarios y gastan en lujos con mucha frecuencia.

Tienen autos de lujo, botes, casas de playa o vacacionales, etc. Todas estas cosas son adquiridas a través de financiamiento. Estos millonarios son muy poco líquidos en sus finanzas.

Estos no son los mejores prospectos para su negocio. Esto no significa que los debe ignorar; evite enfocar todos sus esfuerzos en la adquisición de los mismos como clientes. Nunca pierda el enfoque real de su negocio a largo plazo.

Nivel Medio

Estos son por lo general dueños de negocios pequeños (definido como negocios con ventas menores de 100 millones de dólares anuales). Tienen inversiones en bienes raíces y acciones en la bolsa de valores. Son personas conservadoras.

Estos millonarios no tienen deudas que no estén relacionadas con sus negocios. No viven de apariencias, lo que compran lo adquieren en efectivo. Este es el tipo de cliente que usted desea.

Son los clientes perfectos. Son sofisticados, tienen los recursos financieros para invertir y conocen que los bienes raíces son un negocio y que su comisión es parte de los gastos operacionales de este negocio, algo que muchos inversionistas novatos suelen ignorar o tratar de evitar.

En este tipo de prospecto es que todos sus esfuerzos de mercadeo deben estar dirigidos.

Nivel Alto

Estos son dueños de negocios grandes. Tienen inversiones en bienes raíces y acciones en la bolsa de valores. Si tuvieran deudas, estas se relacionan con sus negocios. No viven de apariencias, lo que compran lo adquieren en efectivo.

Sin embargo, toda negociación con ellos es a través de las Juntas de Directores de sus diferentes organizaciones. Es por esto que este no es el tipo de prospecto en el que usted debe invertir de forma exclusiva.

Las transacciones bajo este nivel suelen tomar mucho más tiempo en realizarse. Esto no significa que descarte realizar negocios con estos, sino que evite enfocar sus esfuerzos de mercadeo exclusivamente en estos clientes.

Trabajar con estas Juntas de Directores requiere un tipo de personalidad y experiencia en particular.

Las tres categorías antes mencionadas abarcan el entorno de sus prospectos y clientes potenciales. Todos requieren un conocimiento y dominio extenso de análisis financieros y de viabilidad de inversión.

Esto lo cubriremos en el capítulo de análisis financieros en este libro. Estudiemos ahora cuáles son los servicios que quieren estos clientes y cuáles esperan obtener de usted como profesional.

Cómo descifrar los mensajes de los clientes

Esencialmente sus clientes potenciales de una forma u otra le envían los siguientes mensajes sobre cómo quieren que se les trate.

Gánate mi confianza

En un mundo cada vez más complicado, su cliente está deseoso de encontrar una persona en quien pueda confiar. Especialmente dada la complejidad de las transacciones de bienes raíces y especialmente las comerciales, la confianza es una de las necesidades principales de sus clientes. Llene esta necesidad y tendrá la mitad de la pelea gana.

Inspírame

Los negocios pueden ser una actividad que se convierte en rutina y llegar al borde del aburrimiento. La capacidad de inspirar a los clientes es una herramienta muy efectiva que le ayudará a alcanzar el éxito. Muchas veces lo que nuestros clientes necesitan es un punto de vista diferente para ayudarlos a tomar la decisión con respecto a una inversión inmueble. Conviértase en ese agente de inspiración y visión.

Hazlo fácil para mí

Una parte importante en la operación de su negocio es lograr que sus clientes tengan facilidad para trabajar con usted. Mientras menos esfuerzo tenga que efectuar su posible cliente, más rápido se efectuará la transacción. Todos sabemos que muchos de nuestros clientes están muy ocupados y mientras más tareas tengan que realizar, más se demorará el cierre de la transacción.

Dame control

Nuestros clientes nos ven como asesores y mediadores en las transacciones de bienes raíces, pero desean mantener el control de la misma o pensar que tienen el control. Facilite la realización de la transacción y no tome decisiones por sus clientes. Siempre consulte a sus clientes sobre cualquier situación de la transacción y asegúrese de ofrecer su servicio profesional sin restarle autoridad a su cliente.

Guíame

Si el cliente lo pudiera hacer por sí mismo, lo haría. La razón de contar con sus servicios es para utilizarlo de guía durante el transcurso de la transacción. Los clientes tienen algún conocimiento de transacciones inmobiliarias, especialmente los clientes comerciales; pero en general, conocen que necesitan asistencia en la culminación de una compra o venta exitosa. Llévelos de la mano.

Dame acceso 24/7

Su cliente desea tener la oportunidad de conseguirle en cualquier momento. Asegúrese de estar disponible para estos todo el tiempo. Esto no significa dormir con su teléfono celular, ni contestar todas las llamadas a cualquier hora. Lo que esto significa es tener algún tipo de mecanismo donde su cliente pueda por lo menos dejarle un mensaje y usted contestarlo a la mayor brevedad.

Tómate el tiempo para conocerme

Las personas quieren realizar negocios con amistades y conocidos. Dése a la tarea de conocer a sus clientes para así brindarle el mejor servicio. La confianza no se logra de la noche a la mañana, especialmente con clientes que han logrado conseguir a través de mercadeo directo. Estos le llaman porque tienen una necesidad y desean, además, que usted les otorgue la cortesía de conocerles bien.

Excede mis expectaciones

Todo cliente tiene una idea general de lo que su relación con un profesional de bienes raíces conlleva. Desafortunadamente, muchas veces esta idea es negativa, parecida a aquella que tenemos de un vendedor de autos usados. Es nuestro deber no solo cumplir con las expectativas de nuestros clientes, sino de excederla a través de un servicio y comunicación de excelencia.

Recompénsame

La compra o venta de un bien inmueble es una transacción de alto valor económico. Nuestros clientes esperan que a cambio de esta oportunidad lo recompensemos, no monetariamente; pero con la certeza de que han escogido a la persona adecuada para representarlos. No permita que sus clientes queden mal y asegúrese que el bienestar de estos es una prioridad en el manejo de la transacción.

Comunícate, dame seguimiento

Una de las mayores frustraciones de los clientes es la falta de comunicación y de seguimiento del corredor. Las transacciones inmobiliarias suelen ser muy emocionales, aun si son inversiones de negocio. Haga de este una experiencia placentera y ganará un cliente de por vida.

Escoja su nicho

Una vez usted haya decidido qué especialidad dentro del corretaje comercial desea trabajar, deberá entonces escoger un nicho para especializarse.

La idea es que su práctica sea lo más especializada posible. Mientras más especializada sea su práctica, mayores ingresos tendrá. Los generalistas solo consiguen obtener ingresos promedios.

Entienda por supuesto que lograr la especialización puede tomar varios años y no debe pretender esperar tanto para generar ingresos; pero sí debe operar consciente de cuál es el tipo de negocio que desea desarrollar y enfocar sus esfuerzos de mercadeo en esa dirección.

Tomemos, por ejemplo, el caso de una persona que decide especializarse en almacenes de mueblerías. Lo primero que esta persona debe hacer es obtener una lista de todas las mueblerías existentes en su mercado de elección.

Luego debe crear una base de datos, preferiblemente computadorizada, con toda la información pertinente a este nicho. Esta incluirá: nombre de la compañía, contacto, ventas anuales, número de sucursales y localización, entre otros. Proceda entonces a enviar una carta a todos y cada uno de los integrantes de su nicho para dejarles saber que su especialidad es en almacenes de mueblerías. Indague sobre la posible necesidad inmediata de estos.

También, es recomendable visitar todos los locales para familiarizarse con los mismos y si es posible llegar a conocer a sus propietarios.

En dichas visitas aprenderá cuáles son las mueblerías que poseen almacenes fuera de las tiendas y pronto conocerá cuáles de sus prospectos son los que tienen la mayor probabilidad de realizar negocios inmediatos.

Además, aprenderá cuáles de sus clientes potenciales tienen necesidad de adquirir almacenes dentro de un período razonable de tiempo.

Al regresar a la oficina, comenzará a clasificar su base de datos en varias categorías de prioridad basado en su investigación en la calle y conversaciones telefónicas con sus posibles clientes.

Esto le ofrecerá la oportunidad de seleccionar diferentes tipos de mercadeo para su base de datos de acuerdo a las necesidades del mercado.

Es importante señalar que este tipo de actividad es la que lleva al desarrollo de un negocio sólido y exitoso. No se puede delegar ni suspender.

Es el conocimiento profundo de este mercado el que lo hará un experto en el mismo. Cuando se trate de almacenes de mueblería, usted debe ser la persona en quien todo dueño de mueblería piensa.

20% del trabajo es conseguir el listado, el otro 80% es mantener al cliente.

Esto no significa que evitará realizar transacciones de otro tipo, sino más bien que su área fuerte serán los almacenes de mueblerías.

Debe conocer todos los locales que utilizan las mueblerías, los tamaños promedio, las alturas necesarias, las deseadas, etc. Si usted tiene una oficina con muchos agentes, puede asignar diferentes nichos a diferentes agentes; pero no es recomendable que un agente trabaje todo tipo de transacción sin especializarse.

Esto solo resultará en una limitación de ingresos por parte del agente inmobiliario. Es necesario escoger un nicho que tenga el potencial de suficientes transacciones para justificar el compromiso al mismo. Este es un ejercicio que tiene que realizar en su búsqueda por su nicho y su especialización.

Por ejemplo, el mercado de complejos de apartamentos (*multi-housing*) es uno de los nichos más grandes y lucrativos en los Estados Unidos.

Sin embargo, el mismo es prácticamente inexistente en muchos países. Por lo tanto, decidir especializarse en este mercado requiere realizar estudios adecuados que confirmen la existencia de suficientes transacciones que justifiquen sus esfuerzos y le provean una compensación razonable.

De igual manera, escoger como nicho manufactureros de calentadores solares en Nueva York sería un craso error.

Aunque estos existen, el tamaño de este nicho no sería lo suficiente para brindarle un buen porvenir. Si usted es nuevo en el campo comercial, asesórese con alguien de conocimiento y buenas intenciones antes de concentrarse en una especialidad y nicho. De todas maneras, tarde o temprano descubrirá si está en el nicho incorrecto; pero es mejor conocer esta información de antemano.

Lo importante por ahora es conocer que debe escoger una especialidad dentro del campo de corretaje comercial y un nicho dentro de esta especialidad. Su base de datos es el corazón de su negocio. Mantenga la misma actualizada todo el tiempo.

PUBLIQUE UN BOLETÍN MENSUAL

Sin importar cuán buena sea su relación con sus clientes, es imperativo que usted cree una verja alrededor de los mismos.

Lo que esto significa es que realice actividades de mercadeo que mantenga a sus clientes leales a usted. Siempre habrá quien desee realizar negocios con su cliente.

Es su responsabilidad crear la lealtad de estos hacia usted. Una de las mejores técnicas para lograrlo es a través de la creación de un boletín informativo y educativo con publicación mensual.

Este puede ser de forma electrónica o de papel. Es preferible y más efectivo que la publicación sea en papel y la envíe por correo. Así que si decide optar por esta excelente técnica de mercadeo y retención de sus clientes, comience lo más pronto posible a implantar la misma.

Con respecto a la frecuencia, numerosos estudios revelan que la publicación mensual es la más efectiva. Las personas perciben una publicación menos frecuente como una poco profesional. Esto se basa en que la mayoría de las revistas respetadas utilizan esta frecuencia.

Por otro lado, la idea de crear un boletín es tener la constante presencia de su empresa en la mente de sus clientes.

El boletín debe incorporar información educativa e informativa. Utilice la misma para presentar sus listados; sin embargo, asegúrese de no sobrecargar la misma de forma tal que parezca una página de periódico de bienes raíces.

La venta de propiedades dentro de su boletín tiene que ser sutil. Obviamente, esta es la única razón de publicarlo, pero sea cauteloso en su presentación.

La delicadeza y el cuidado que usted utilice le brindarán más ventas que cualquier otro medio de mercadeo.

Cree material informativo

En adición a la creación de un boletín mensual, usted debe crear material educativo para sus clientes. Una lista de los errores más comunes al invertir es uno de los documentos más solicitados por los clientes.

De igual manera, haga una lista de los documentos y análisis necesarios al momento de solicitar un préstamo comercial.

Mercadeo a colegas

La mejor forma de vender una propiedad es a través de otros agentes inmobiliarios. *Co-broke* es una de las formas más eficientes del uso de su tiempo.

Desafortunadamente muchas personas no comprenden la magnitud del potencial y la ventaja de trabajar en cooperación con otros colegas. No existe forma más productiva de trabajar.

El 90% de las personas que responden a sus anuncios y no compran, compran después de seis meses. ¡Manténgase en contacto!

Recuerde que para que esto sea así primero tiene que tener un contrato exclusivo que lo proteja.

Para lograr el mejor desempeño cree una serie de circulares con la información de su listado. Estos deben tener formatos diferentes para llegar a las distintas personas y sus personalidades.

Algunas circulares pueden tener la foto de la propiedad y toda su información. Otras pueden tener varias fotos con una descripción menos detallada o solamente presentar texto.

Diferentes personas reaccionan de forma diferente a los distintos formatos. Cree cuatro o cinco formatos diferentes los cuales pueda utilizar con todos sus listados y envíelos periódicamente a sus colegas.

¿QUÉ DETALLES COMPONEN EL MERCADEO?

La siguiente información es una lista de elementos a considerar como parte de su mercadeo:

1. Su sonrisa

2. Su actitud

3. La rapidez con que realiza los trámites necesarios para completar la transacción.

4. Su tarjeta de presentación. Evite el uso de tarjetas hechas en casa con los bordes perforados. Evite también sobrecargar su tarjeta con muchos logos y designaciones. Los clientes no las conocen, ni le interesan. Los clientes solo quieren resultados.

5. Su publicidad

6. Su mensaje de voz (voice mail).

7. El timbre de su teléfono celular. Si alguien le llama y se escucha *La Macarena*, el mensaje que usted está proyectando no es profesional.

8. La forma en que contesta el teléfono. Si no puede atender la llamada, no la conteste. Contestar y decir: "Le llamo en cinco minutos, estoy ocupado" es de muy mal gusto tanto para el que llama como para la persona con quien usted está reunido y proyecta una identidad no profesional.

9. Cuántas veces suena el teléfono antes de contestarlo.

10. Cuánto tiempo se toma usted en devolver las llamadas.

11. Su forma de vestir. Mahones, *t-shirts* y tenis no proyectan una imagen profesional; tampoco los fines de semana de trabajo. Estos son para su tiempo libre.

12. Su forma de hablar y comunicarse.

13. Los rótulos del edificio de su negocio. Si este tiene letras apagadas, crea una muy pobre impresión.

14. La decoración de su oficina.

15. Su preparación. Tome todos los cursos posibles, obtenga todas las designaciones posibles; pero deje que estas hablen por usted. No llene sus materiales de mercadeo con siglas que nadie conoce.

16 Su portal de la internet. Ofrezca un número de teléfono de contacto que una persona real conteste. Evite que las personas se vean forzadas a contactarlo a través de correo electrónico y evite que al llamar conteste una máquina (a menos que sea fuera de horas laborables).

17 Sus formularios y contratos. Asegúrese de que estos sean legibles y claros. Nunca use copias borrosas. Hoy día no es necesario utilizar una imprenta para obtener resultados excelentes. Cree un buen documento e imprima la cantidad que usted considere necesaria para varios meses. Luego imprima unos pocos más.

18 Su hoja de *Fax*. Esta es una gran oportunidad para mercadear su compañía. Evite el uso de las plantillas (templates) que proveen los programas como Microsoft Word™. Tómese el tiempo para crear una forma que venda a su compañía. Son estos vendedores silenciosos los que harán una gran diferencia sin esfuerzo de su parte una vez creado.

19 Su vehículo. El mismo no tiene que ser de lujo pero debe estar siempre limpio y organizado.

20 Su dirección de correo electrónico. Evite los siguientes:

luis@gmail.com
luis@hotmail.com
luis@aol.com
luis@yahoo.com

Toda dirección de correo electrónico debe hacer referencia a la página web de su compañía. Por solo cindo dólares anuales usted podrá obtener un portal con el nombre de su compañía.

21 El nombre de su compañía. Evite utilizar su nombre. Escoja un nombre que comunique el nicho en el que usted desea especializarse. Por ejemplo: "Casas de Campo Real Estate" es mejor que "Luis Rodríguez & Associates". Este último no dice nada, el primero comunica una idea de lo que la compañía hace.

22 El porcentaje de comisión que usted cobra.

23 Los rótulos que usted utiliza para mercadear las propiedades. Estos muchas veces son los que crean la primera impresión en el cliente.

24 Sus horas de operación.

25 Su plan de negocios. Este debe estar por escrito.

26 La calidad de su seguimiento.

27 La calidad de su adiestramiento.

28 Los seminarios que usted ofrece.

29 La reputación de su negocio.

30 Sus tarjetas postales. Esta es una de las herramientas más económicas y efectivas de mercadear sus servicios. Asegúrese de que mantiene una base de datos actualizada.

31 Sus boletines - Como ya hemos explicado, esta es tal vez la herramienta más poderosa en su arsenal. Los boletines deben ser mensuales y el 75% debe ser información que ayude al lector (no recetas de cocina, no caricaturas, etc.) El otro 25% debe ser utilizado para suavizar la lectura (frases, "tips", etc.) Si no puede desarrollar la disciplina de crear un buen boletín mensual, dirija sus esfuerzos en otra actividad que le produzca resultados.

Mida Los Resultados

Muchas veces los agentes inmobiliarios ejecutan estrategias de mercadeo basadas en lo que han visto otros agentes hacer. Es muy común que al hojear el periódico usted se percate de que todos los agentes inmobiliarios utilizan más o menos las mismas estrategias de mercadeo de propiedades.

Si está de moda incluir una foto de la propiedad, todo aquel que tenga el presupuesto para hacer esto, lo hará. Si está de moda incluir el precio, casi todos lo incluirán. Cuando se comienza a practicar NO incluir los precios, cambiarán a esta estrategia. Casi todos dejarán de incluirlos.

Si se utiliza incluir fotos de propiedades vendidas, muchos otros seguirán esta tendencia. Si se comienza a utilizar letra blanca con fondo negro, en vez de letra negro con fondo blanco, serán también muchos los que copien este estilo.

En fin, la mayoría de las veces se utiliza en el mercado lo que los demás estén haciendo, sin tomarse el tiempo y esfuerzo para medir detalladamente y con precisión el rendimiento en la inversión del tipo de mercadeo a utilizar.

Todo esfuerzo de mercadeo, sea este en prensa, radio, televisión, revistas, Internet, mercadeo directo, estilo de tarjetas de presentación, diseño de folletos, tamaño y forma de rótulos, preparación de paquetes informativos y otros, debe seguir un estricto desglose de su efectividad para con los posibles clientes.

Durante la preparación de su plan de mercadeo debe incluir en todos los medios utilizados una manera de monitorear los mismos para medir su efectividad.

Existen varios elementos que tienen que formar parte de todo mensaje de mercadeo. Estos se pueden resumir en cinco fundamentos básicos:

1 **Pertenecer**

Todas las personas desean pertenecer a algo. Esto es una necesidad básica humana. Incluya en todas sus estrategias de mercadeo algún tipo de mensaje que invite a su cliente potencial a ser parte de algo.

2 **Temor a Perder**

Nadie desea perder. Al redactar sus mensajes de mercadeo incluya el hecho de que aquellos que participen de sus programas, empresas y ventas evitarán perder algo (por ejemplo: una gran oportunidad de inversión).

3 **Deseo de Ganar**

Es una motivación interna el querer ganar. Esto representa a nivel personal cierto tipo de crecimiento. A un nivel más profundo es un indicador del avance del ser humano. Cuando las personas tienen la posibilidad de ganar algo, esto se convierte en un gran atractivo en el cual usted puede capitalizar.

4 Interactuar

Las personas necesitan interactuar con otras para sentir el calor humano. Aun aquellas que por lo general prefieren estar a solas, necesitan en algún momento compartir con otros. Incluya en su mensaje de mercadeo la oportunidad de compartir con personas y mientras más influencia tenga este grupo, mayor poder tendrá su mensaje.

5 La Vanguardia

Las personas desean saber que están a la vanguardia del mercado (aunque no lo verbalicen de esta forma). Todos desean conocer que tienen la oportunidad de participar de algo nuevo, innovador y que les provee soluciones a situaciones presentes. Vemos esta estrategia todo el tiempo utilizada en la publicidad. La razón es que es muy poderosa y efectiva. Incorpórela en su mercadeo.

En la siguiente tabla comparto un ejemplo de seguimiento de mercadeo para que monitoree sus resultados:

Mes	Medio	Inversión	Ganancia Neta
Enero	Periódico	$500	$700
Febrero	Radio	$850	$0
Marzo	Folletos	$750	$3,000
Abril	Revista	$1375	$1,500
Mayo	Fiesta	$925	$0
Junio	E-mail	$325	$7,500

La ganancia neta se determina sustrayendo la inversión de las ganancias obtenidas directamente y como resultado de la estrategia de mercadeo utilizada. Es importante incluir un elemento único en todo tipo de mercadeo para identificar correctamente su procedencia.

Monitoree siempre el resultado de su mercadeo. Si una estrategia no le brinda los resultados esperados, elimínela inmediatamente; si por el contrario es muy efectiva, busque la forma de realizar más de lo mismo.

Identifique también formas para replicar los resultados positivos en otros medios. La clave es medir objetivamente con números reales el resultado de su inversión.

Paquete de Información

El paquete de información es donde usted depositará toda la data pertinente a la propiedad listada. Este es uno de los elementos de mercadeo más importantes dentro de su plan. Tener la información organizada en un mismo documento acelerará el proceso de venta y es una muestra de profesionalismo y peritaje en su campo.

Mientras más información incluya en el mismo, más fácil le será a los posibles compradores tomar una decisión de compra. Esto es importante por dos razones. Primero, acelera el proceso de venta y su cobro de comisión. Segundo, evita que usted pierda tiempo con prospectos que no van a comprar.

El paquete de información se conoce también como el *Resumen Ejecutivo*. Está diseñado para proveer la mayor información posible y contestar todas las preguntas que el cliente potencial pueda tener.

Mientras más rápido se provea la información que conlleva a la toma de decisiones, más rápido podremos efectuar la venta. Esta información debe ser provista en varios formatos. Las próximas páginas muestran los elementos que deben incorporarse al paquete de mercadeo.

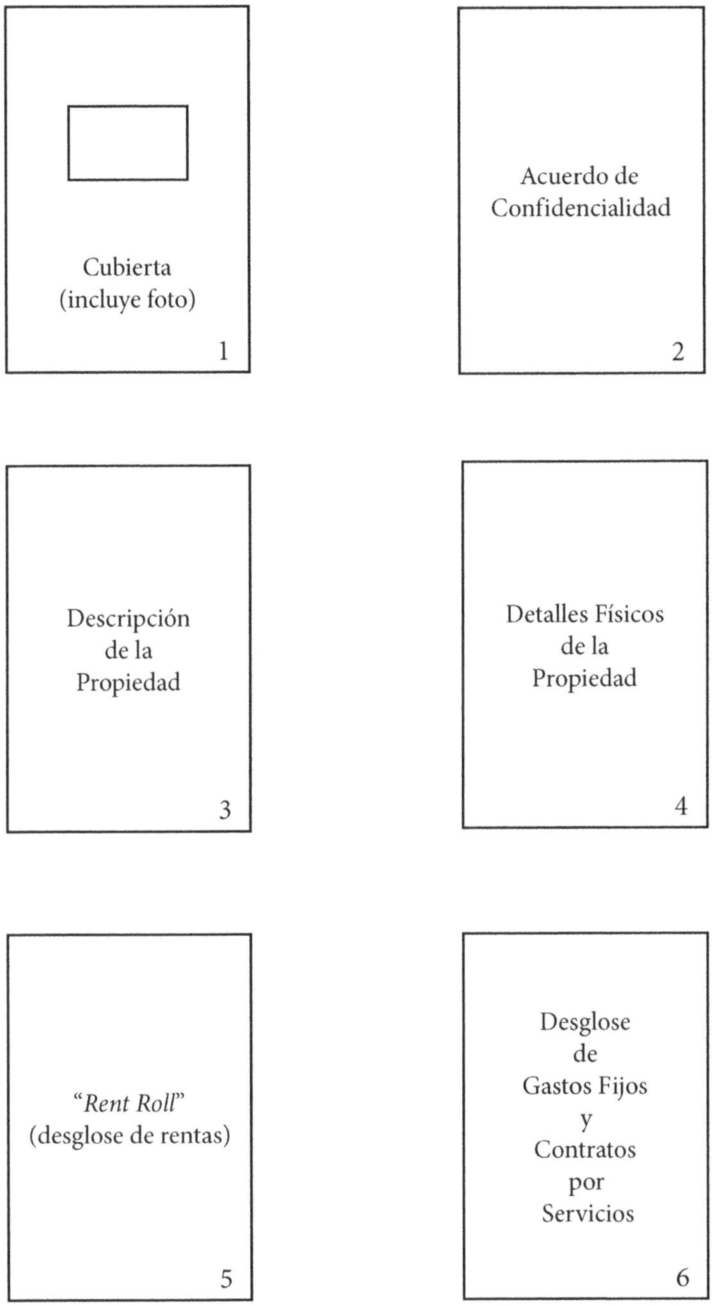

Cubierta
(incluye foto)
1

Acuerdo de
Confidencialidad
2

Descripción
de la
Propiedad
3

Detalles Físicos
de la
Propiedad
4

"*Rent Roll*"
(desglose de rentas)
5

Desglose
de
Gastos Fijos
y
Contratos
por
Servicios
6

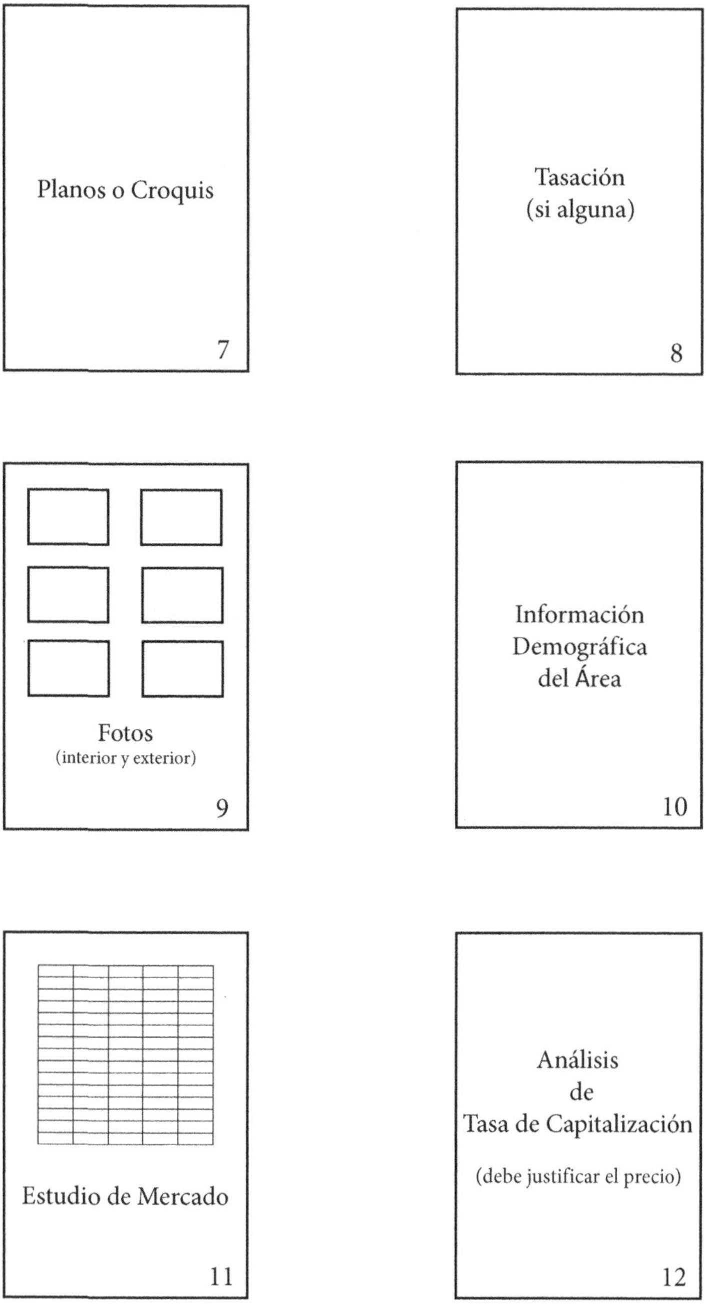

Planos o Croquis

7

Tasación
(si alguna)

8

Fotos
(interior y exterior)

9

Información
Demográfica
del Área

10

Estudio de Mercado

11

Análisis
de
Tasa de Capitalización

(debe justificar el precio)

12

Documentación sobre posibles programas de subsidio que apliquen a la propiedad sujeto

13

Información económica del área o ciudad donde está localizada la propiedad

14

Opciones de Financiamiento

15

Tabla de Hipotecas

16

Página para Notas

(para que los prospectos hagan anotaciones)

17

Página con su Información de Contacto

18

Contactos Con Clientes

La mayoría de las personas escogen a los agentes inmobiliarios basados en cuán reciente fue su último contacto con estos. Es decir, la última persona en haber contactado al prospecto es la que tiene la mayor posibilidad de ser contratado para efectuar una transacción de bienes raíces.

Es por esto que es vital establecer un programa de mercadeo el cual mantenga a sus prospectos siempre recordando su nombre y el de su empresa. No se puede delegar esta actividad a cualquiera que no conozca su importancia y urgencia.

El mejor método de lograr ser efectivo en esta área es creando un calendario de actividades diseñadas para mantener al prospecto siempre en contacto con nuestra empresa.

Otra razón para mantener un programa de seguimiento proactivo es que este nos provee mayor oportunidad de obtener referidos. Si su prospecto recibe sus mensajes de mercadeo, a pesar de no necesitar sus servicios por el momento, puede este convertirse en una excelente fuente de referidos. Ya conocemos que los mejores negocios son aquellos que se realizan a través de referidos.

La siguiente tabla es una muestra que puede utilizar para ayudarle a desarrollar su calendario de mensajes de mercadeo.

Observe que este tipo de mercadeo está dirigido a clientes existentes o prospectos que han mostrado interés en realizar negocios con usted en algún momento. Este tipo de mercadeo es diferente a aquel dirigido a personas que usted aún no conoce, lo que se llama el mercado *frío*.

Mensaje	Contactos al Año	Nombre del Cliente
Boletín mensual	12	
Tarjeta de cumpleaños	1	
Tarjeta de Navidad	1	
Invitación a seminario	3	
Invitación a "Edificio Abierto"	4	
Tarjeta del día de Madres/Padres	1 (si aplica)	
Artículos de interés para el cliente o escritos por el cliente	1 (por lo menos)	
Tarjeta postal informativa	2	
Tarjeta de agradecimiento	1	
Reporte de análisis del mercado	2	
Llamada teléfonica	4	
Tarjeta de aniversario de boda	1 (si aplica)	
Tarjeta de aniversario de negocio	1 (si aplica)	
Correo electrónico-seguimiento	4	
Encuesta sobre sus servicios	1	

RÓTULOS

Los rótulos siempre han sido una de las técnicas de mercadeo de propiedades más efectivas. Se estima que más del 50% de los clientes que llegan a usted lo hacen a través de rótulos. Con los avances en la tecnología este porcentaje se reduce cada día más, pero no podemos ignorar el poder y la efectividad del mismo.

Grandes compañías han invertido enormes sumas de dinero para identificar cuáles son los colores más llamativos en los rótulos. Los estudios revelan muchas combinaciones de colores que son muy efectivas. Sin embargo, el fondo amarillo con letras negras ha resultado ser la más exitosa.

Los fondos rojos con letras blancas también han sido muy positivos, quedando estos en segundo lugar de impacto. Al momento de diseñar sus rótulos, tome esto en consideración e incorpore de forma elegante los colores de su empresa y su logo si estos resultaran ser diferentes.

Un aspecto importante al momento de diseñar sus rótulos es el tamaño de las letras a utilizar. Evite tener un tamaño desproporcionado entre las letras y el tamaño del rótulo.

El tamaño de las letras debe ser dictado por la distancia entre la localización del rótulo y el punto de mayor exposición del mismo. En la próxima página le ofrecemos una tabla de legibilidad de letras basada en la distancia utilizada.

En el corretaje comercial la distancia entre la propiedad y el mayor punto de exposición varía de forma considerable. En el corretaje residencial un rótulo del tamaño de 24 pulgadas por 18 pulgadas es adecuado. En el corretaje comercial, cada propiedad dictará un tamaño especial.

Tabla de Visibilidad de Rótulos

Distancia Máxima para Legibilidad	Distancia Máxima para Mayor Impacto	Altura de las Letras
100 Pies	30 Pies	3 Pulgadas
150 Pies	40 Pies	4 Pulgadas
200 Pies	60 Pies	6 Pulgadas
350 Pies	80 Pies	8 Pulgadas
400 Pies	90 Pies	9 Pulgadas
450 Pies	100 Pies	10 Pulgadas
525 Pies	120 Pies	12 Pulgadas
630 Pies	150 Pies	15 Pulgadas
750 Pies	180 Pies	18 Pulgadas
1,000 Pies	240 Pies	24 Pulgadas
1,250 Pies	300 Pies	30 Pulgadas
1,500 Pies	360 Pies	36 Pulgadas
1,750 Pies	420 Pies	42 Pulgadas
2,000 Pies	480 Pies	48 Pulgadas
2,250 Pies	540 Pies	54 Pulgadas
2,500 Pies	600 Pies	60 Pulgadas

Utilice esta tabla para determinar el tamaño de sus rótulos y la altura de las letras para obtener el mayor impacto posible. Incorpore el uso de colores y tamaños que favorezcan el tipo de propiedad que está mercadeando.

Si se especializa en un solo tipo de propiedad, puede preparar varios rótulos y tenerlos siempre disponibles. Si las propiedades varían mucho, tendrá que ordenarlos según vaya adquiriendo los distintos contratos.

FRASES PARA ANUNCIOS Y *FLYERS*

Excelente localización

Amplio estacionamiento

Cabida de ___________

___________ Pies cuadrados

Precioso edificio

Ideal para ___________

Fácil acceso a ___________

Incluye ___________

Única oportunidad

Bajo tasación

Magnífica oportunidad

Muchos extras

Inversionista

Acceso controlado

Con todos los permisos

Cerca de ___________

Buena fuente de ingresos

Impresionanate ___________

Zonificación ___________

__________ Pies de altura

Preciosa vista

Al lado de __________

Gran diversidad de oportunidades

Generando ingresos

Oportunidad de inversión

Genera $ __________

Cómoda área

Uso mixto

Planos disponibles

Permisos aprobados

Cerca del expreso __________

Fabulosa __________

Espectacular __________

Incentivos contributivos disponibles

Armoniosamente preparada

Ubicación privilegiada

Magnífica inversión

Bono de __________ adicional

Oferta expira __________

Análisis Financieros

"Si tuviera ocho horas para cortar un árbol, seis de ellas las pasaría afilando el hacha". — Abraham Lincoln

4

Análisis Financieros

Una vez usted haya determinado que el corretaje comercial es para usted y decida el tipo de especialidad que desea trabajar, si utiliza las técnicas de mercadeo discutidas estará preparado para desarrollar su negocio.

Uno de los aspectos fundamentales del éxito en el corretaje comercial es desarrollar las destrezas de análisis financieros que le garantizarán el mercadeo adecuado y el eventual cierre de la transacción.

Son dos los aspectos que debemos considerar al momento de evaluar una propiedad: la información sobre la propiedad y la información sobre la operación. La información sobre la propiedad incluye lo siguiente:

Nombre o identificación de la propiedad
Dirección de la propiedad
Número catastral (para efectos de registro)
Número de edificios que componen la propiedad
Tamaño del edificio o edificios (en pies cuadrados)
Cabida del solar (en metros cuadrados)
Altura de los techos
Número de estacionamientos
Número de pisos
Número de unidades (espacios separados)
Zona de inundación (basado en mapas de FEMA)
Zonificación
Topografía
Tasación para efectos contributivos (solar y mejoras)
Tasación para efectos de valor de mercado

Existen varios tipos de compradores para propiedades comerciales. Por lo general, dividimos estos tipos en dos: los usuarios y los inversionistas. Los usuarios compran propiedades comerciales por varias razones, entre ellas encontramos las siguientes:

1. Realizar ventas al detal y/o al por mayor
2. Manufacturar sus productos
3. Almacenar sus productos
4. Ofrecer sus servicios profesionales
5. Establecer sus oficinas
6. Realizar estudios e investigación
7. Mostrar sus productos (showroom)
8. Distribuir sus productos

El tamaño de la propiedad, la zonificación, la cabida del solar, la altura de los techos y la cantidad de estacionamientos son también factores que determinarán la aplicabilidad de una propiedad para un uso en particular.

Sin embargo, una gran cantidad de las transacciones de compraventa de bienes raíces comerciales son efectuadas por inversionistas. Estos en realidad compran el ingreso futuro que producirá una propiedad.

Los detalles físicos y de localización son muchas veces secundarios a la capacidad de la propiedad para producir un rendimiento aceptable en la inversión requerida de parte del inversionista. Esto es lo que se conoce como el "*yield*" que el inversionista desea obtener.

Es por esto que es muy importante analizar detalladamente los estados financieros de la propiedad. Los ingresos y gastos proyectados para años venideros deben examinarse con cautela para garantizar que el rendimiento proyectado sea realista.

Ninguna proyección financiera es exacta, pero debemos tener un conocimiento adecuado con respecto a los gastos fijos y aquellas variables que afectan la operación de la propiedad para lograr que la misma sea lo más precisa posible.

Toda propiedad comercial de inversión que produce ingresos es en realidad un negocio. Existe la tendencia de tratar las inversiones en bienes raíces como los demás tipos de inversiones.

Esto es un error muy común que resulta en un rendimiento pobre para el inversionista o peor aún, pudiera producir pérdidas, aunque estas sean a corto plazo.

El inversionista astuto conoce que las inversiones en bienes raíces son en realidad un negocio al cual se le debe dedicar el mismo esfuerzo que a cualquier otro negocio, si se desea ser exitoso en el mismo.

Lo mismo ocurre con los agentes inmobiliarios que practican el corretaje comercial. Es necesario desarrollar destrezas que le capaciten para ofrecer el mejor de los asesoramientos para sus clientes.

La capacidad para establecer el valor de la propiedad es una de las destrezas más importantes en el corretaje comercial. Esto le ayudará a realizar sus labores de forma más eficiente y evitar perder el tiempo con propiedades que nunca se van a vender.

Gran parte del corretaje comercial es la asesoría para con sus clientes y la educación con respecto a las tendencias y el comportamiento del mercado.

De igual manera, es vital ayudar a su cliente a identificar cuáles son aquellos elementos que le añadirán valor a la propiedad y cuáles son neutrales.

Muchas veces la idea de valor que tienen nuestros clientes es muy equivocada y es por eso que no son exitosos en la venta de la propiedad.

Como un experto en el corretaje comercial, usted tiene la responsabilidad y obligación de conocer en detalle estos elementos para así lograr una venta exitosa.

De este modo, le ayudarán a establecer una buena cartera de clientes leales durante toda su carrera profesional. El corretaje comercial es una especie de relación que trasciende las transacciones individuales.

En realidad es un plan de negocios de parte del inversionista el cual generalmente incluye al agente inmobiliario como parte de su equipo para lograr sus objetivos.

Todo inversionista quiere saber que puede contar con usted como asesor experto en todas las transacciones que este realice. Esto es diferente a la compra de unidades residenciales.

El cliente de residencias no tiene una necesidad en particular de utilizar al mismo agente inmobiliario para todas sus compras.

En el corretaje comercial, todas las compras son parte de un mismo plan y es de beneficio para el inversionista trabajar con alguien que conoce este plan y es parte de su equipo de trabajo.

Si usted se da a la tarea de servir adecuadamente a su cliente, encontrará en este una fuente inagotable de negocios y de ingresos. Aproximadamente 25 buenos clientes pueden proveerle un excelente ingreso por el resto de su vida.

Flujos de Efectivo

Las propiedades comerciales tienen potencialmente tres tipos de flujos de efectivo. Estos son: flujo de efectivo al efectuar la compra, flujo de efectivo anual procedente de las operaciones y el flujo de efectivo final al vender la propiedad. Este último se llama reversión.

Para efectos de nuestro ejemplo en este libro vamos a utilizar la información procedente del flujo de efectivo de las operaciones anuales para determinar el valor de la propiedad.

Existen otras formas más complejas y avanzadas de determinar valor utilizando todos los flujos de efectivo, pero en este libro discutiremos únicamente los elementos fundamentales del corretaje comercial que afectan el listado, no el rendimiento.

Una vez domine estos, podrá ejercer exitosamente. Luego puede darse a la tarea de obtener un conocimiento más profundo, según lo vaya requiriendo el tipo de transacciones que comience a realizar.

Para aquellos que desean obtener este conocimiento avanzado inmediatamente, les recomiendo mi libro *El Inversionista Inteligente* publicado por Power Publishing Learning Systems®.

Este es más avanzado y muy abarcador con respecto a los distintos tipos de análisis financieros que aplican a las inversiones de bienes raíces comerciales y la determinación del rendimiento de las mismas.

Analizando la Propiedad

El ingreso neto operacional es el elemento más importante de todo análisis financiero. Toda decisión de inversión está basada en este número.

Es con este que determinamos el valor de la propiedad. Sin embargo, es importante, identificar con precisión cuáles son los elementos que componen el ingreso neto operacional.

Tipos de Ingresos

Existen cuatro tipos de ingresos. Estos son el *ingreso de rentas potencial, ingreso de rentas efectivo, ingreso bruto operacional y el ingreso neto operacional.*

El **ingreso de rentas potencial** es el ingreso total que una propiedad pudiera obtener si todos sus espacios estuvieran ocupados con rentas de mercado. Esto significa que todas las rentas son comparables con otras en edificios similares con amenidades parecidas.

En propiedades comerciales las rentas se expresan en dólares por pie cuadrado. En propiedades con múltiples inquilinos no es común obtener un 100% del ingreso de rentas potencial. Es por esto que se le llama *Potencial.*

Es muy raro lograr obtener este ingreso. Encontramos, por lo general, esta situación en propiedades de un solo inquilino con contratos de rentas bien establecidos donde sí se suele obtener el 100% del ingreso de rentas potencial.

También vemos esta situación en los centros comerciales de vecindario. Estos son pequeños y suelen mantenerse ocupados la mayoría del tiempo. Por lo general, estos están ocupados por pequeños comerciantes que están bien establecidos en sus vecindarios.

El **ingreso de rentas efectivo** es el ingreso que produce la propiedad después de deducir la desocupación, pérdidas y otros débitos. Las pérdidas por concepto de desocupación y otros débitos son en gran medida un reflejo de la calidad de la administración. La desocupación y otras pérdidas se expresan como un porcentaje del ingreso de rentas potencial.

Las propiedades comerciales pueden generar otros ingresos, en adición a sus rentas. Existe una gran cantidad de oportunidades para generar estos ingresos adicionales. Tragamonedas, *billboards*, estacionamiento, servicios de Internet de alta velocidad y alquiler de salones son algunas de las formas de obtener ingresos adicionales. Cuando añadimos estos ingresos al ingreso de rentas efectivo obtenemos el **ingreso bruto operacional**.

Toda propiedad incurre, además, en una serie de gastos operacionales. Estos incluyen entre otros: administración, mantenimiento, contratos, servicios profesionales, utilidades, contribuciones y seguros.

Una vez deducidos estos gastos obtenemos el **ingreso neto operacional**. Este es el ingreso que produce una propiedad una vez todos los gastos necesarios para operar la misma han sido deducidos.

Los gastos por financiamiento, aportaciones a la reserva de la propiedad, gastos para mejoras de capital y las contribuciones en la ganancia de la inversión son gastos pagados del ingreso neto operacional, pero no se consideran en el cálculo del mismo ya que van después de esta línea.

El ingreso neto operacional determina el valor de la inversión en todo momento. En el proceso de comprar es este el que determina el precio de compra y la cantidad que los bancos están dispuestos a financiar.

Al momento de vender la propiedad, este determina el precio de venta y el rendimiento total de la inversión.

Capitalización

La forma más sencilla y común de establecer valor es a través de la aplicación de una tasa de capitalización al ingreso neto operacional que produce la propiedad.

La tasa de capitalización es un factor multiplicador que se aplica al ingreso neto operacional. El mismo se expresa de forma porcentual y es determinado por el mercado. La fórmula es la siguiente:

$$R = \frac{I}{V}$$

donde

V	=	valor o precio de venta
I	=	NOI (ingreso neto operacional)
R	=	tasa de capitalización

Cuando se venden propiedades y conocemos el *ingreso neto operacional* de las mismas, podemos calcular la tasa de capitalización que esta relación representa.

Por ejemplo, si una propiedad en su mercado se vendió por $1,000,000 y conocemos que su *ingreso neto operacional* al momento de la venta era $100,000, entonces dividimos $100,000 entre $1,000,000 y obtenemos una tasa de capitalización de 10%.

$$\frac{\text{Ingreso Neto Operacional}}{\text{Precio de Venta (Valor)}} = \text{Tasa de Capitalización}$$

en este caso representa,

$$\frac{\$100,000}{\$1,000,000} = 0.10 \text{ o } 10\%$$

Tenemos que aclarar que el *ingreso neto operacional* utilizado para calcular el valor al momento de la venta representa el *ingreso neto operacional* proyectado para el primer año de operaciones de la propiedad después de haber sido adquirida, no el *ingreso neto operacional* actual de los últimos 12 meses.

Para determinar el valor o precio de venta (o precio de listado) invertimos la fórmula como sigue:

$$V = \frac{I}{R}$$

En este caso conocemos el ingreso neto operacional y la tasa de capitalización prevaleciente en el mercado para este tipo de propiedad en particular. Recuerde que la tasa de capitalización varía no solo dependiendo del mercado, sino también del tipo de propiedad e incluso la calidad de los inquilinos.

Si por ejemplo conocemos que una propiedad tiene un *ingreso neto operacional* (NOI) de $87,950 anuales y la tasa de capitalización prevaleciente para este tipo de propiedad es 9.5%, entonces el valor de la propiedad es aproximadamente $925,789.

$$\frac{\text{Ingreso Neto Operacional}}{\text{Tasa de Capitalización}} = \text{Valor}$$

$$\frac{\$87{,}950}{0.0950} = \$925{,}789$$

Algunos inversionistas aplican una tasa de capitalización diferente a todos los inquilinos de la propiedad basado en la estabilidad y solidez financiera de los mismos. Luego, proceden a añadir los distintos valores adquiridos y de esta forma determinan el valor total de la propiedad.

Usted debe tomar este listado solamente si el precio que desea obtener el dueño/propietario es aproximadamente esta cantidad.

Si el dueño/propietario le indica que solamente vendería por $1,115,000 y usted toma este listado perderá su tiempo y su dinero. También, estaría insinuando falsas espectativas.

Pudiera ser que exista alguien que desee adquirir esta propiedad en particular y esté dispuesto a pagar más de lo que su valor en el mercado representa, pero usted nunca debe operar su negocio basado en excepciones.

Esto le costará mucho dinero y en realidad perderá la oportunidad de trabajar con propiedades donde tiene una oportunidad real de efectuar una venta.

Si por lo contrario el dueño/propietario le indica que solamente desea $875,000 por la propiedad, usted podrá asesorarlo con respecto a su valor actual en el mercado y obtener lo adecuado.

Logrará así que su cliente obtenga una ganancia mayor de lo que este hubiese obtenido si la hubiese vendido por sí mismo.

Para identificar la tasa de capitalización prevaleciente en su mercado es necesario que usted conozca cuáles son las propiedades que se han vendido, cuál fue el precio de venta y cuál era el *ingreso neto operacional* de las mismas.

Esta información usted la obtiene a través de tasadores, banqueros y otros agentes inmobiliarios dedicados al corretaje comercial, especialmente aquellos que ejercen a tiempo completo.

En los Estados Unidos existen muchas fuentes de información que proveen al profesional con esta información de forma organizada y por categorías. Identifique si su mercado ofrece estos servicios. Un buen punto de partida es su organización local de bienes raíces.

Ventajas en el Uso de la Tasa de Capitalización

Existen ventajas y desventajas con respecto al uso de una tasa de capitalización para establecer valor. Una de las ventajas es la sencillez del cálculo a realizar.

Otra ventaja es que este cálculo toma en consideración la desocupación y pérdidas por concepto de otros débitos no pagados. También, considera el efecto de los gastos operacionales.

Desventajas en el Uso de la Tasa de Capitalización

Sin embargo, la capitalización del ingreso neto operacional conlleva también ciertas desventajas. Entre ellas encontramos el hecho de que este cálculo no considera los gastos por financiamiento ni el impacto de las contribuciones por concepto de ganancia de parte del inversionista.

De igual manera, debe contemplarse que la capitalización del *ingreso neto operacional* considera solo un año de estos ingresos. La capitalización del *ingreso neto operacional* considera únicamente los ingresos del primer año, después de adquirida la propiedad o un año desde el momento en que se efectúa dicho cálculo. Esta no es una medida del negocio en marcha.

Utilizar los *ingresos netos operacionales* actuales de la propiedad no es la manera correcta de calcular la tasa de capitalización. Muchos compradores neófitos en la industria utilizan erróneamente estos.

Es importante asesorar a sus clientes adecuadamente al momento de determinar el valor de la propiedad. Esto incluye un análisis detallado de todos los contratos de arrendamiento. Pudiera ser que algún inquilino haya concluido su contrato y no esté contemplando permanecer en la propiedad. El ingreso de este inquilino se recibió durante el año actual, sin embargo, no se puede utilizar para un análisis correcto del año venidero.

De igual modo, hay que considerar que los gastos actuales no serán necesariamente los mismos en el primer año de operaciones de su cliente como nuevo dueño de la propiedad.

Estos puedieran ser mayores o menores. Generalmente mayores. No obstante, altera de manera considerable el resultado obtenido al calcular el *ingreso neto operacional* y por consiguiente el valor de la propiedad en el mercado.

Es importante que el lector note que la capitalización del *ingreso neto operacional* no considera los ingresos adquiridos ni los gastos incurridos durante el año anterior a la realización de este cálculo. Siempre se tienen que utilizar los ingresos y gastos proyectados para el año siguiente.

Para efectos de este libro trabajaremos únicamente con la tasa de capitalización ya que nuestro objetivo es presentar los elementos fundamentales del corretaje comercial y apoyar al lector a determinar el valor de las propiedades para efectos de listado. Por lo cual las desventajas de la tasa de capitalización no afectarán el uso de la misma.

Todos los gastos que aparecen después de la línea del ingreso neto operacional son importantes al momento de determinar el rendimiento en la inversión. Sin embargo, para propósito de establecer valor no harán falta por el momento.

En el siguiente ejemplo analizaremos un pequeño centro comercial de vecindario (*strip mall*). Utilizando la información provista, identifiquemos el valor actual de la esta propiedad:

	Inquilino	Pies Cuadrados	Dólares por Pie Cuadrado	Renta Mensual	Renta Anual
1	Salón de Belleza Francheska	1,500	$14	$1,750	$21,000
2	Lavandería Los Hermanos	2,500	$14	$2,917	$35,000
3	Tienda de Animales Domésticos	1,500	$12	$1,500	$18,000
4	Oficina de Abogados Roig & Campbell	1,500	$12	$1,500	$18,000
5	Banco Central del Caribe	2,800	$18	$4,200	$50,400
6	Oficina Dental Los Robles	2,500	$16	$3,333	$40,000
7	Servicios Médicos ADG	3,000	$18	$4,500	$54,000
8	Centro de Comidas Naturales	4,500	$15	$5,625	$67,500
9	La Tienda de la Música	850	$12	$850	$10,200
10	La Casa de la Bodas	1,850	$14	$2,158	$25,900
	Total	**22,500**	**$15**	**$28,333**	**$340,000**
			Promedio		

Gastos	Cantidad Anual	Porcentaje
Impuestos	$10,000	2.94%
Seguros	$4,500	1.32%
Electricidad	$26,500	7.79%
Agua y Alcantarillado	$3,000	.88%
Mantenimiento y Reparaciones	$6,000	1.76%
Servicios Profesionales	$1,800	.53%
Administración	$17,000	5%
Publicidad y Mercadeo	$1,800	.53%
Efectos de Oficina	$900	.26%
Misceláneas	$480	.14%
Total	**$71,980**	**21.17%**
NOI	**$268,020**	**78.83%**

*No considera desocupación

La mejor forma de organizar la información para efectos de análisis es utilizando una plantilla como la siguiente:

	Ingreso de Rentas Potencial	______
-	Desocupación y Pérdidas	______
=	Ingreso de Rentas Efectivo	______
+	Otros Ingresos	______
=	Ingreso Bruto Operacional	
	GASTOS OPERACIONALES	
-	Impuestos	______
-	Seguros	______
-	Electricidad	______
-	Agua y Alcantarillado	______
-	Mantenimiento y Reparaciones	______
-	Servicios Profesionales	______
-	Administración	______
-	Publicidad y Mercadeo	______
-	Efectos de Oficina	______
-	Misceláneas	
	GASTOS OPERACIONALES TOTALES	
=	**Ingreso Neto Operacional**	______
-	Gastos por Financiamiento	______
-	Fondos de Reserva	______
-	Comisiones por Concepto de Alquileres	______
=	Flujo de Efectivo Pre-Contribuciones	

Nota: El promedio de desocupación en el mercado para este ejemplo es de 7%.

Utilicemos ahora la plantilla para depositar la información financiera de la propiedad:

	Ingreso de Rentas Potencial	$340,000
-	Desocupación y Pérdidas	$23,800
=	Ingreso de Rentas Efectivo	$316,200
+	Otros Ingresos	$0
=	Ingreso Bruto Operacional	$316,200
	Gastos Operacionales	
-	Impuestos	$10,000
-	Seguros	$4,500
-	Electricidad	$26,500
-	Agua y Alcantarillado	$3,000
-	Mantenimiento y Reparaciones	$6,000
-	Servicios Profesionales	$1,800
-	Administración	$17,000
-	Publicidad y Mercadeo	$1,800
-	Efectos de Oficina	$900
-	Misceláneas	$480
	Gastos Operacionales Totales	$71,980
=	**Ingreso Neto Operacional**	$244,220
-	Gastos por Financiamiento	
-	Fondos de Reserva	
-	Comisiones por Concepto de Alquileres	
=	Flujo de Efectivo Pre-Contribuciones	

Como podemos observar el centro comercial tiene 10 espacios los cuales están todos ocupados. El costo de la renta por pie cuadrado varía de local en local.

Son muchas las razones por las cuales podemos encontrar una variedad en los costos por pie cuadrado. Las siguientes son algunas de las más comunes:

1. Diferencia en tamaño del espacio
2. Localización dentro del centro comercial
3. Condición del mercado al momento de firmar el contrato vigente
4. Término del contrato
5. Condición actual del mercado
6. Concesiones especiales
7. Capacidad de pago del inquilino
8. Condición del arrendador al momento de contratar
9. Tipo de contrato
10. Estructura física del local

Para efectos de nuestro ejemplo el costo promedio por pie cuadrado resulta ser 15 dólares. Obtenemos este número sumando el total de todas las rentas y dividiendo el resultado entre el total de pies cuadrados en la propiedad. Luego multiplicamos esto por 12 (meses) para llegar al costo promedio por pie cuadrado.Veamos:

Renta mensual ($340,000 ÷ 12)		$28,333
Pies cuadrados	÷	22,500
Costo por P^2 mensual	=	1.26
12 meses (1 año)	x	12
Costo por P^2 anual	=	$15.11 ←

Observen que el costo de la renta en propiedades comerciales se expresa en pies cuadrados ANUALES.

En nuestro ejemplo la propiedad tiene un *ingreso de rentas potencial* de **$340,000**. Todas las unidades están ocupadas; sin embargo, el estándar al momento de realizar análisis financieros es aplicar un porcentaje de desocupación.

Este debe ser equivalente al promedio del mercado o la desocupación actual, el que sea mayor. Se utiliza siempre el número más alto.

En nuestro ejemplo, dado el hecho de que la propiedad no tiene ninguna desocupación, utilizaremos el promedio del mercado que es **7%**.

Esto representa un costo de **$23,800** para la propiedad y reduce su valor basado en la tasa de capitalización. Si asumimos una tasa de capitalización de **10%**, la reducción al valor de la propiedad será **$238,000**.

Veamos cómo llegamos a estos números:

Ingreso de Rentas Potencial		$340,000
Desocupación (7%)	x	0.07
Costo por Desocupación	=	$23,800

Es importante observar que aunque todo el historial de la propiedad documente que la misma ha estado siempre 100% ocupada, se tiene que aplicar un gasto por desocupación.

Todo inversionista con experiencia y todas las agencias prestamistas aplicarán este ajuste para reflejar una homogeneidad de mercado.

Veamos entonces el efecto de este costo por desocupación:

$$\frac{\$23{,}800}{0.10} = \$238{,}000$$ ← **reducción en valor**

El costo por desocupación reduce el valor de la propiedad en la cantidad de **$238,000.**

Este costo de desocupación produce un *ingreso de rentas efectivo* de **$316,200.** En nuestro ejemplo, no existen "otros ingresos" así que el *ingreso bruto operacional* es también **$316,200** (igual al *ingreso de rentas efectivo*).

Los gastos de la propiedad alcanzan la cantidad de **$71,980.** Cuando le restamos esta cantidad al *ingreso bruto operacional* de **$316,200** obtenemos un *ingreso neto operacional* de **$244,220.** Utilizando la misma tasa de capitalización de **10%** obtenemos un valor de mercado basado en un enfoque de ingresos de **$2,442,200.**

Ingreso Bruto Operacional		$316,200
Gastos Operacionales	–	$71,980
Ingreso Neto Operacional	=	$244,220

$$\frac{\text{NOI}}{\text{Cap}} = \text{Precio (Valor)}$$

$$\frac{\$244{,}220}{0.10} = \$2{,}442{,}200$$

Al momento de negociar con el cliente/propietario el precio de listado es importante que utilicemos este número como guía y que no se establezca un precio muy lejos de esta realidad.

Tasa de Capitalización vs. Rendimiento

Muchas personas piensan que la tasa de capitalización es equivalente al rendimiento que se recibe de la inversión. Esto no es así. Aquí le mostraremos al lector la diferencia entre el rendimiento y la tasa de capitalización.

Estas tablas reflejan cómo se pueden obtener rendimientos diferentes bajo una misma tasa de capitalización. Reversión es el nombre que se utiliza para llamar a la cantidad que obtenemos cuando vendemos una inversión.

Inversión Inicial	$100,000
Flujo de Efectivo Primer Año	$10,000
Reversión	$100,000
Tasa de Capitalización	10%
Rendimiento en la Inversión	10%

Inversión Inicial	$100,000
Flujo de Efectivo Primer Año	$5,000
Reversión	$105,000
Tasa de Capitalización	10%
Rendimiento en la Inversión	5%

Inversión Inicial	$100,000
Flujo de Efectivo Primer Año	$15,000
Reversión	$95,000
Tasa de Capitalización	10%
Rendimiento en la Inversión	15%

Las tres tablas muestran una inversión inicial de $100,000. Sin embargo, dado que el flujo de efectivo anual varía, esto nos produce un rendimiento en la inversión diferente para cada escenario aunque al final la cantidad total obtenida de la inversión es la misma.

Esto es un reflejo del valor del tiempo en el dinero. Este es un tema que abarcamos a cabalidad en el libro *El Inversionista Inteligente*. Al momento de evaluar propiedades de inversión es vital que se le muestre al cliente potencial el rendimiento real de su capital.

Para efectos de este libro ya hemos podido determinar el valor de la propiedad en el mercado y estamos preparados para presentar la misma. De igual manera, se ha capacitado al lector a evaluar cuáles son las propiedades que deben aceptar como listados y cuáles deben evitar.

Un buen ejercicio es analizar todas las propiedades comerciales que usted tenga listadas e identificar cuán cerca están de los parámetros aquí presentados. También, debe identificar cuál es la tasa de capitalización prevaleciente en su mercado, basado en el tipo de propiedad que está mercadeando o que desea mercadear.

Para dominar su mercado, dése a la tarea de conocer las tasas de capitalización que aplican a los distintos tipos de propiedades y aplique las mismas a sus propiedades. Recuerde mantener buenas relaciones con aquellos que pueden proveerle esta información y muy pronto sus estimados de valor serán muy acertados por lo cual podrá añadir mayor valor a su relación con sus clientes y prospectos.

La siguiente tabla es un ejemplo del tipo de análisis que puede preparar para las propiedades de su mercado o aquellas que usted posee para la venta.

Lista de Comparables			
Fecha 11-19-09			
Preparado Por Power Holdings Realty Group			
Nombre de la Propiedad	Los Molinos	Centro Sol	Plaza León
Precio	$2,442,200	$3,000,632	$2,291,707
Ingresos			
Ingreso de Rentas Potencial	$340,000	$363,800	$329,800
Desocupación y Pérdidas	$23,800	$7,276	$13,192
Ingreso de Rentas Efectivo	$316,200	$356,524	$316,608
Otros Ingresos	$0	$0	$0
Ingreso Bruto Operacional	$316,200	$356,524	$316,608
Gastos Operacionales			
Impuestos	$10,000	$10,850	$9,125
Seguros	$4,500	$3,920	$2,600
Electricidad	$26,500	$24,325	$21,560
Agua y Alcantarillado	$3,000	$3,150	$2,429
Mantenimiento	$3,000	$2,742	$4,100
Reparaciones	$3,000	$3,967	$3,862
Servicios Profesionales	$1,800	$2,700	$1,733
Administración	$17,000	$17,826	$12,300
Publicidad y Mercadeo	$1,800	$450	$275
Efectos de Oficina	$900	$1,015	$395
Misceláneas	$480	$519	$412
Gastos Operacionales Totales	$71,980	$71,464	$58,791
Ingreso Neto Operacional	$244,220	$285,060	$257,817
Gastos por Financiamiento	$173,730	$194,501	$148,548
Flujo de Efectivo Pre-Tax	$94,290	$90,559	$109,269
Tasa de Capitalización	10.00%	9.50%	11.25%

Una de las ventajas de este formato es que puede identificar de forma rápida no solo el valor de las propiedades, sino también la proporción de los distintos gastos operacionales de las mismas. Esto es de gran ayuda al momento de evaluar otras propiedades similares de las cuales le falta información.

Una vez usted pueda inferir el tipo de gastos y los posibles ingresos de las propiedades sin tener ningún tipo de información sobre las mismas, estará en una posición privilegiada para tomar decisiones en cuanto a la viabilidad de las propiedades que se le presentan.

Una vez obtenga la información sobre estas propiedades puede confirmar su documentación. La mejor disciplina que puede crear es la de monitorear todo tipo de información relacionada con su mercado. La información es poder. Como mencionamos al principio del libro, estamos en un negocio de información.

El que mejor información tiene es el que más dinero generará. Comparta su información con sus colegas y estos le reciprocarán haciendo más fácil para usted el dominio de las condiciones del mercado.

Adquiera algunos libros sobre análisis financieros y estúdielos. Los libros sobre tasación son excelentes en su manejo de información sobre análisis financieros. Esta es una destreza que le será de utilidad en muchas situaciones. Los análisis financieros son una forma clara y objetiva que una vez realizados correctamente le ayudarán en la toma de decisiones.

Financiamiento Comercial

Una vez determinado el valor de la propiedad y después de haber conseguido un potencial comprador, es necesario preparar a esta persona para que obtenga el financiamiento adecuado basado en los estándares de la banca.

Comprar una propiedad comercial es muy diferente a comprar una residencia. Las propiedades comerciales le ofrecen al inversionista la oportunidad de utilizar los ingresos de la misma como parte de la cualificación para efectos de financiamiento.

Asumiendo que usted obtuvo la información adecuada con respecto a la tasa de capitalización prevaleciente, podrá ahora determinar aproximadamente la cantidad que los bancos estarían dispuestos a financiar.

La medida utilizada por los bancos al momento de financiar propiedades de inversión es la relación entre el ingreso neto operacional y el costo anual de financiamiento. Por sus siglas en inglés este se conoce como el DCR (*Debt Coverage Ratio*).

Es importante que conozcamos este término ya que la mayoría de los bancos utilizan esta terminología en inglés. Los inversionistas del mercado secundario, que comprarán estos préstamos al banco, también utilizan esta terminología.

El DCR es un indicador de la solidez financiera de una inversión. La mayoría de los bancos utilizan como estándar la proporción de entre 1.20 y 1.25. Esto significa que por cada dólar de pago de hipoteca anual debe existir entre $1.20 y $1.25 en ingresos netos operacionales para cubrir la deuda.

Una proporción de 1.0 significa que el ingreso neto operacional es equivalente al costo total de la deuda. Si este fuera el escenario, no existiría margen alguno de error en la operación para satisfacer el pago de la deuda.

Ciertamente, esto es una situación utópica e irreal. Siempre ocurre algún tipo de situación que requiere el uso del flujo de efectivo para otros propósitos no relacionados con el pago de la deuda.

Algunos bancos son más exigentes y pueden requerir una proporción mayor de 1.25 y pudiera darse el caso de que algún banco tuviera políticas menos estrictas.

Sin embargo, estos números aquí provistos (1.20, 1.25) suelen ser lo que rige el otorgamiento de préstamos comerciales para propiedades de inversión en la mayoría de los casos.

Practiquemos el siguiente ejemplo:

Una propiedad produce un ingreso neto operacional de $75,800 anuales. El costo total anual de financiamiento para esta propiedad resulta ser $62,131.

Utilizamos la siguiente fórmula para determinar si el banco estaría dispuesto a financiar esta inversión.

$$\frac{\text{NOI}}{\text{Pago de Deuda}} = \text{DCR}$$

$$\frac{\$75{,}800}{\$62{,}131} = 1.22$$

Nota Aclaratoria:
Para efectos de análisis financieros, el ingreso neto operacional se expresa de forma anual. Es únicamente para efectos de administración que el ingreso neto operacional suele expresarse de forma mensual. Para lograr una administración exitosa es necesario monitorear la actividad mensual que facilite el cumplimiento de las metas establecidas por los administradores.

El resultado es 1.22. Si el banco con el cual se está negociando el préstamo utiliza como política un DCR de 1.2, su cliente tendría una excelente oportunidad para financiar a través de ellos.

La propiedad cualifica de acuerdo con los requisitos de DCR del banco. Tendría, entonces, que asegurarse de que su cliente cualifica bajos los otros parámetros.

Para efectos de este ejemplo el ingreso neto operacional de la propiedad cualifica a su cliente sin problema alguno.

Este es un tipo de ejercicio que debe efectuarse con todos sus listados. Esto lo ayudará a determinar si el rendimiento que produce la propiedad justifica invertir en esta, basado en el tipo de financiamiento disponible al momento. Esto ilustra la importancia del financiamiento al adquirir una inversión.

Como ya hemos discutido, el ingreso neto operacional determina el valor de la propiedad en el mercado. No obstante, es el costo de financiamiento el que en gran medida determina el rendimiento en la inversión.

Un costo alto produce un rendimiento menor. Lo contrario también pudiera ocurrir. Un costo de financiamiento bajo aumentará el rendimiento que produce la propiedad.

El rendimiento puede incrementarse o reducirse sin afectar el valor de la propiedad en el mercado. Lo que el tipo de financiamiento disponible determina es la capacidad del inversionista para lograr su "*yield*".

Es por eso que cuando la tasa de interés en el mercado es baja se puede financiar una parte mayor de la inversión, sin afectar adversamente el rendimiento de la misma.

Al momento de tomar sus listados debe analizar la propiedad y aplicar las prácticas de financiamiento disponibles en el mercado; así podrá estimar el posible rendimiento en dicha inversión de una manera más precisa.

Por ejemplo, si los bancos están financiando el 85% y la tasa de interés prevaleciente en préstamos comerciales es 7.5%, utilice estos parámetros para determinar el rendimiento en la inversión de un posible comprador.

Hacer este análisis pudiera indicarle que la propiedad no es una que es fácilmente mercadeable y pudiera ser que la misma requiera una inversión mayor en tiempo y dinero para poderla vender. Aun así, esto no le garantiza la venta de la misma.

Su tiempo y dinero debe ser siempre invertido en propiedades que tengan una posibilidad real de venderse. Evite el error número uno de los principiantes en este campo. Asegúrese de tener una buena cartera de propiedades para la venta. No tiene que tener muchas propiedades, pero sí tienen que ser rentables.

Verificación de Data Financiera

Verifique que la información provista por el dueño de la propiedad se refleja en las facturas originales de los siguientes documentos. Confirme los costos, tarifas y contratos:

_____ Electricidad

_____ Agua y alcantarillado

_____ Mantenimiento del elevador

_____ Recogido de basura

_____ Contribuciones de la propiedad

_____ Seguro de la propiedad

_____ Verificar todos los contratos de renta

_____ Verificar el historial de pago de todos los inquilinos

_____ Corroborar los depósitos de alquiler

_____ Verificar las planillas del dueño

_____ Verificar la existencia de contratos de servicio

_____ Verificar la cubierta de las pólizas de seguro

_____ Verificar si existe alguna reclamación reciente

Información para Solicitar Préstamo

Recopile la siguiente información y prepare un paquete informativo para acompañar la solicitud de préstamo de su cliente.

_____ Planillas de ingreso (por lo menos dos años)

_____ Estado financiero personal y del negocio (si aplica)

_____ Contrato de compraventa

_____ Contratos de arrendamiento de la propiedad sujeto

_____ Pro Forma de las operaciones de la propiedad sujeto

_____ Desglose de rentas de inquilinos (rent roll)

_____ Proyecciones de flujo de efectivo

_____ Proyecciones de reventa de la propiedad (a cinco años)

_____ Análisis de *Loan to Value*

_____ Análisis de *Debt Coverge Ratio*

_____ Análisis de capitalización

_____ Análisis de multiplicador de rentas

_____ Análisis de rendimiento de efectivo sobre efectivo

_____ Análisis de gastos e ingresos por pie cuadrado

_____ Listado de ocupación, desocupación y otros débitos

Valor aproximado de la Propiedad

	Tasa de Capitalización		
NOI	**11%**	**10%**	**9%**
$12,000	$109,091	$120,000	$133,333
$60,000	$545,455	$600,000	$666,667
$120,000	$1,090,909	$1,200,000	$1,333,333
$180,000	$1,636,364	$1,800,000	$2,000,000
$240,000	$2,181,818	$2,400,000	$2,666,667
$300,000	$2,727,273	$3,000,000	$3,333,333
$360,000	$3,272,727	$3,600,000	$4,000,000
$420,000	$3,818,182	$4,200,000	$4,666,667
$480,000	$4,363,636	$4,800,000	$5,333,333
$540,000	$4,909,091	$5,400,000	$6,000,000
$600,000	$5,454,545	$6,000,000	$6,666,667
$660,000	$6,000,000	$6,600,000	$7,333,333
$720,000	$6,545,455	$7,200,000	$8,000,000
$780,000	$7,090,909	$7,800,000	$8,666,667
$840,000	$7,636,364	$8,400,000	$9,333,333
$900,000	$8,181,818	$9,000,000	$10,000,000
$960,000	$8,727,273	$9,600,000	$10,666,667
$1,020,000	$9,272,727	$10,200,000	$11,333,333
$1,080,000	$9,818,182	$10,800,000	$12,000,000
$1,140,000	$10,363,636	$11,400,000	$12,666,667
$1,200,000	$10,909,091	$12,000,000	$13,333,333

Esta tabla ilustra el valor de las propiedades basado en su *ingreso neto operacional* y la tasa de capitalización prevaleciente. Utilice la misma para identificar rápidamente el valor aproximado de cualquier propiedad y determinar si es prudente tomar el contrato de listado.

Repaso de Conceptos

No es el tamaño de la persona en la pelea lo que importa, sino el tamaño de la pelea en la persona.

Repaso de Conceptos

Esta serie de ejercicios le ayudará a identificar los conceptos que necesita repasar para obtener un mayor dominio y entendimiento de los mismos. Encontrará las respuestas al final de esta sección.

Cierto o Falso

1 ________ Asumiendo una tasa de capitalización de 8.5% y un *ingreso neto operacional* de $127,500 sería razonable que el dueño de la propiedad logre venderla por $1,500,000.

2 ________ Una propiedad con un ingreso neto operacional de $85,000 tendrá un mayor valor de mercado si el financiamiento es de 70% en vez de 85% del precio de venta.

3 ________ La desocupación no afecta el cálculo del ingreso bruto efectivo.

4 ________ Conocer el pago total de la hipoteca es importante al momento de determinar el valor de la propiedad.

5 ________ Con una tasa de capitalización de 10.25% y un *ingreso neto operacional* de $118,000 podemos vender la propiedad por $1,151,220.

6 ________ En un edificio Clase A en Manhattan se pueden encontrar rentas más altas que en un edificio Clase B en la misma área.

7 ________ En un contrato de arrendamiento *bruto* el inquilino es responsable por todos los gastos de mantenimiento del edificio.

8 ________ Mientras más alto sea el interés de la hipoteca, más bajo será el *ingreso bruto efectivo* de la propiedad.

9 ________ El *ingreso neto operacional* es la ganancia que la propiedad genera para el dueño.

10 ________ Los bienes raíces son la inversión más líquida que existe.

11 ________ Mientras más alta sea la cantidad a financiar, mayor será el rendimiento en la inversión.

12 ________ La tasa de capitalización se puede utilizar para proyectar el valor de mercado de una propiedad a cinco años.

13 ________ Una misma propiedad tendrá un precio de venta mayor bajo una tasa de capitalización de 7% que otra de 10%.

14 ________ Usted puede vender por $2,222,222 una propiedad con un *ingreso neto operacional* de $200,000 a un inversionista que desea comprar en efectivo y obtener un rendimiento de 9% en su inversión.

15 ________ La falta de pago de parte de un inquilino se considera un gasto de desocupación.

16 ________ Si en una propiedad se alquila el techo para la instalación de antenas de teléfonos celulares, el ingreso generado se considera bajo la categoría de *otros ingresos*.

Llene los blancos:

1. Un tasador ha determinado que el *ingreso bruto efectivo* de una propiedad es $399,000. Los gastos operacionales son $199,000. La tasa de capitalización prevaleciente es 11.5%. ¿Cuál es el valor de la propiedad?

   ____

2. Un inversionista desea obtener un 9% de rendimiento en su inversión. Usted le presenta una propiedad con un *ingreso neto operacional* de $200,000. ¿Cuánto debe ofrecer el inversionista por la propiedad si la compra se va a efectuar en efectivo sin financiamiento alguno?

   ____

3. Basado en la siguiente información, determine cuál es el *ingreso neto operacional* de la propiedad y cuál debe ser el precio de listado:

   Edificio de 6,000 pies cuadrados
   Solar de 1,965 metros cuadrados
   8 apartamentos con renta de $580 cada uno
   Un apartamento está desocupado
   Los gastos son 31% del *ingreso bruto operacional*
   La hipoteca tiene un pago de $2,240 mensuales
   La tasa de capitalización prevaleciente es 9.5%

   Ingreso neto operacional ______________
   Precio de listado ______________

RESPUESTAS

CIERTO O FALSO

1 Cierto

2 Falso
El financiamiento de una propiedad no afecta su valor en el mercado.

3 Falso
La desocupación es una parte importante al momento de establecer el ingreso bruto efectivo.

4 Falso
El financiamiento de una propiedad no afecta su valor en el mercado.

5 Cierto

6 Cierto

7 Falso
En un contrato de arrendamiento *bruto* el arrendador, no el inquilino, es responsable por todos los gastos de mantenimiento.

8 Falso
El financiamiento no afecta el ingreso bruto efectivo de la propiedad.

9 Falso
Del ingreso neto operacional hay que pagar el costo de financiamiento, si alguno, y las contribuciones.

10 Falso
Los bienes raíces son una de las inversiones MENOS líquidas que existe.

11 Cierto y Falso
Cierto, si existe un flujo de efectivo positivo.
Falso, si existe un flujo de efectivo negativo.

12 Falso
La medida financiera de *Tasa de Capitalización* aplica únicamente al primer año de operaciones del nuevo dueño de la propiedad.

13 Cierto
Mientras más baja sea la *Tasa de Capitalización*, mayor será el valor de la propiedad y viceversa.

14 Cierto

15 Cierto
Este se conoce como desocupación económica. Aunque la unidad esté ocupada, la renta no se está recibiendo.

16 Cierto

Llene los blancos

1 \$1,739,130

2 \$2,222,222

3 Ingreso neto operacional = \$33,617
Precio de listado = \$353,861

Explicación Ejercicio No. 3

A Los pies cuadrados no importan

B La cabida del solar no importa

C El pago de hipoteca no afecta el cálculo

D 7 apartamentos ocupados a \$580 cada uno = \$4,060 mensual

E \$4,060 × 12 meses = \$48,720 (ingreso bruto operacional)

F \$48,720 × .31 = \$15,103 (gastos operacionales)

G \$48,720 – \$15,103 = \$33,617 (ingreso neto operacional)

H \$33,617 ÷ 0.095 = \$353,863 (valor; precio de listado)

5

Creando Valor

"Una buena inversión es aquella que después de un detallado análisis asegura la recuperación del principal y promete la obtención satisfactoria de un rendimiento aceptable. Cualquier otra cosa diferente a esto es simplemente especulación".—Benjamin Graham

5

Creando Valor

Una de las destrezas más importantes a dominar en el corretaje comercial es la habilidad de añadir valor a las propiedades. Con el conocimiento adecuado, usted podrá fácilmente aumentar el valor de muchas propiedades en el mercado.

De igual modo, adquirirá la capacidad de incrementar significativamente el rendimiento que obtienen sus clientes de las inversiones. Esto a su vez resultará en la obtención de excelentes clientes que serán muy leales a usted durante su carrera.

Indudablemente todas las personas desean ganar dinero en sus negocios. Esto es particularmente cierto con respecto a los inversionistas. Estos quieren saber que su dinero está produciendo el mayor rendimiento posible.

Su habilidad en aumentar el valor de las propiedades lo categorizará en un nivel muy superior al de otros agentes de bienes raíces que carecen de esta información.

Una de las formas más fáciles y lógicas de aumentar el valor de las propiedades es a través del incremento de las rentas las cuales a su vez crecerán el ingreso neto operativo de la propiedad.

Sin embargo, aumentar las rentas no es siempre posible por muchas razones. Entre estas encontramos el hecho de que existan contratos que estipulan la renta a cobrar por cierta cantidad de años.

También pudiera ocurrir que las rentas en la propiedad sujeto han alcanzado el tope del mercado y no es posible aumentarlas más. El peor de los escenarios ocurre durante los ciclos de bienes raíces de *sobre oferta* y *recesión.*

Estos muchas veces resultan en una disminución de las rentas o en la pérdida del arrendatario que se mueve a otra propiedad que le ofrece una renta más baja. Peor aún, estas otras propiedades muchas veces tienden a ser de mayor calidad, lo cual empeora la situación del inversionista.

Es precisamente durante estos ciclos que sus clientes obtendrán mayores beneficios trabajando con un agente inmobiliario sobresaliente y experto en su industria.

Trabajemos, entonces, con el siguiente ejemplo:

Información Sobre la Propiedad
Edificio de oficinas de cinco pisos
50,000 pies cuadrados (edificio)
8,950 metros cuadrados (solar)
200 estacionamientos
La renta promedio es $18 por pie cuadrado
Desocupación actual de 15% (7,500 pies cuadrados)

$12,500	Seguro
$18,500	Contribuciones
$11,500	Mantenimiento
$2,750	Servicios Profesionales
$33,750	Administración
$38,940	Electricidad
$5,430	Agua y Alcantarillado

Basado en esta información ¿cuánto podríamos aumentar el valor de esta propiedad?

Son muchas las posibilidades, pero en este ejemplo mencionaremos solamente cuatro de ellas. Para facilitar el trabajo de la administración o del inversionista evitaremos aumentar las rentas, lo cual simplificará el proceso.

Además, se ilustrarán en este ejemplo ideas sencillas que resultan en un rendimiento muy atractivo para el inversionista (su cliente).

Costo del Seguro

Para comenzar tomemos el costo del seguro. El mismo es de .25¢ por pie cuadrado para un total de $12,500. La mayoría de los dueños de propiedades no se toman el tiempo de obtener cotizaciones y/o estimados de, por lo menos, tres agencias de seguros para asegurarse de que están obteniendo la mejor tarifa.

Muchas veces esto ocurre porque los servicios de seguro son ofrecidos por amistades o familiares de nuestro cliente.

Sin embargo, es posible obtener la misma cubierta por una tarifa menor si se cotizan las primas regularmente. Dos cosas ocurren cuando hacemos esto; primero nos mantenemos informados con respecto a las tarifas de varios proveedores de primas de seguro.

Segundo, asumiendo que la póliza actual es la de menor costo, lograremos mantener la misma por un período más extenso si el agente de seguros conoce que regularmente se están cotizando las primas.

Para efectos de nuestro ejemplo vamos a asumir que logramos obtener una póliza de igual cubierta con otra compañía de seguros por .20¢ el pie cuadrado.

Esto le ofrece a la propiedad un ahorro de $2,500. Asumiendo una tasa de capitalización conservadora de 10%, la propiedad aumenta en valor $25,000.

Consumo de Electricidad

Actualmente el costo por consumo de electricidad de la propiedad es de $38,940 anuales. Con una sencilla inspección visual nos percatamos de que no se están utilizando bombillas de alta eficiencia.

Una conversación con el dueño de la propiedad nos revela que los inquilinos pagan por el consumo de su propia electricidad y que el consumo por el cual es responsable el dueño es principalmente por la iluminación de los pasillos, áreas comunes y el exterior del edificio, incluyendo el estacionamiento.

Ninguna de estas áreas utiliza bombillas de alta eficiencia. Una pequeña inversión en lámparas y bombillas de alta eficiencia logra reducir el consumo de electricidad un 25%. Esto representa un ahorro de aproximadamente $9,735 anuales. Utilizando una tasa de capitalización de 10%, esto representa para nuestro cliente un aumento en el valor de su propiedad de $97,350.

INSTALAR UN *BILLBOARD* EN LA PROPIEDAD

Durante su visita a la propiedad usted nota que el estacionamiento tiene un área en la cual se podría instalar un *billboard* para efectos publicitarios.

La propiedad se encuentra en una zona muy transitable con un excelente número de vehículos transitando a diario. Usted contacta a una agencia de anuncios de *billboards* y determinan que la propiedad tiene una excelente localización para el uso de estos.

La participación del dueño de la propiedad por permitir la instalación del mismo es de $2,000 mensuales. En adición a esto, el dueño no tiene que incurrir en ningún tipo de gasto.

La compañía de los *billboards* se encargará de todo. Esto representa un ingreso neto adicional de $24,000 anuales. Utilizando el 10% de tasa de capitalización, la propiedad ha aumentado en valor $240,000.

REDUCIR LA DESOCUPACIÓN

Previamente se expuso que la propiedad tiene una desocupación de 15%. Con una renta promedio de $18 el pie

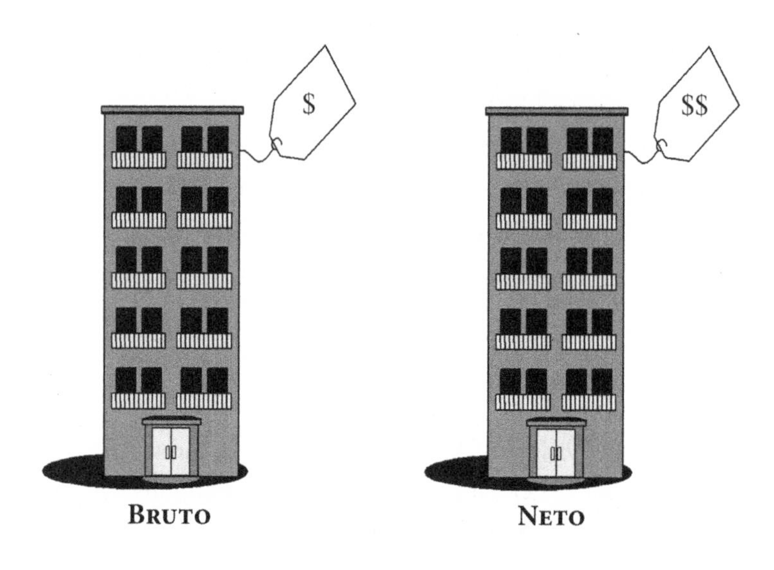

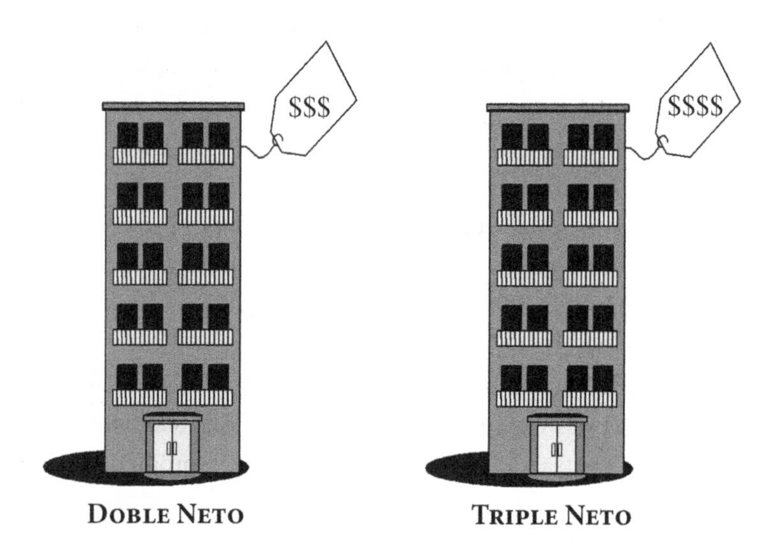

El valor de mercado de la propiedad lo establecen los contratos de rentas que existen en la misma. El tipo de contrato es otra forma de aumentar el valor de las propiedades.

cuadrado, esto representa $135,000 anuales. Si se enfocan los esfuerzos de arrendamiento y se logran alquilar 2,500 pies cuadrados reduciendo la desocupación de 15% a 10%, obtendremos un ingreso adicional de $45,000.

Asumiendo que los nuevos inquilinos no aumentan los gastos operacionales (contrato de arrendamiento triple neto), el ingreso neto operativo aumenta por esta misma cantidad. Utilizando nuevamente una tasa de capitalización de 10%, la propiedad aumentará su valor en el mercado por $450,000.

Todas estas estrategias aumentan el valor de la propiedad significativamente sin tener que incrementar la renta de los inquilinos actuales.

Evidentemente, son una manera fácil, segura y efectiva de aumentar el rendimiento en su inversión. Debido a las recomendaciones que usted le ofreció a su cliente, este podrá recibir una cantidad mayor al momento de vender la propiedad.

Fíjese que si usted tiene la habilidad de proveer a sus clientes técnicas como las aquí descritas, en ningún momento el porcentaje de comisión a cobrar será un obstáculo en la transacción. Todo lo contrario, usted logrará aumentar la cantidad de dinero que su cliente recibirá.

Sin su asesoría, este hubiese vendido la propiedad por una cantidad menor y a una ganancia menor. En efecto, el hecho de su cliente escoger un agente inmobiliario sin la experiencia necesaria y dispuesto a cobrar una comisión más baja, le puede costar miles de dólares en su ganancia neta.

Veamos un desglose del efecto de sus sugerencias sobre el valor de la propiedad de su cliente:

Categoría	Cantidad Anual	Aumento en valor
Ahorro en seguro	$2,500	$25,000
Ahorro en electricidad	$9,735	$97,350
Instalación "*Billboard*"	$24,000	$240,000
Aumento de 5% en ocupación	$45,000	$450,000

Un aumento total en valor de **$812,350**. Casi un millón de dólares simplemente por trabajar con un agente inmobiliario experto en su campo. Imagínese el aprecio que su cliente le tendrá y la lealtad que le brindará durante su carrera.

Al mostrar este ejemplo en seminarios, muchos participantes me indican que una vez estos cambios realizados, el cliente hará lo mismo en otras propiedades sin la ayuda del agente inmobiliario.

Mi respuesta siempre es la misma: como agente competente experto en su campo usted estará siempre aprendiendo nuevas estrategias que sus clientes pueden utilizar. De esta manera, podrá mantenerlos haciendo negocios con su empresa.

Lo importante es utilizar las estrategias aplicables al tipo de propiedad con la que se está trabajando en ese momento. No todas las estrategias aplican a todas las propiedades por igual.

Es imperioso, también, mantenerse actualizado con todas las nuevas tendencias. Algunas se convierten en obsoletas mientras otras nuevas ideas aplican a nuevos mercados.

Recuerde que al principio del libro mencionamos que usted está en un negocio de información. Poseer la mejor información le hará ganar más dinero y le ofrecerá la oportunidad de proveer valor añadido superior al de su competencia.

Algunas de las estrategias que he utilizado en el pasado para añadir valor a las propiedades son:

1. Remodelar la propiedad (para aumentar las rentas).
2. Incluir servicio de Internet de alta velocidad en la renta (el cliente paga menos que si obtuviera el servicio directo del proveedor y mi cliente recibe ingresos por ofrecer el servicio).
3. Reposicionar la propiedad de clase (por ejemplo de clase C a clase B).
4. Alquilar espacios muertos (techos, sótanos, etc.) para la instalación de antenas de compañías de teléfonos celulares. Esto es ganancia pura.
5. Convertir parte del estacionamiento en garajes cerrados para alquiler.
6. Alquilar salones de conferencia para actividades fuera de horas laborables.
7. Alquilar el uso del estacionamiento fuera de horas laborables (restaurantes, funerarias, etc).
8. Instalar *billboards*. Hay dos formas de hacer esto. En la primera, usted se encarga de la instalación de la torre y contrata una compañía de publicidad. En la segunda, usted contrata a una compañía especializada en *billboards* y ellos se encargan de todo por usted. La diferencia es que si usted es el que invierte en la torre, tendrá una mayor participación.

9. Cambiar de compañía de administración, reduciendo el costo y aumentando la eficiencia.

10. Cotizar todos los servicios que se utilizan, por lo menos una vez al año.

11. Contratar empleados para efectuar trabajos que se realizan con regularidad y cuyos contratos son muy costosos.

12. Eliminar empleados y contratar trabajos que no se realizan con regularidad y cuyo costo de nómina es muy alto.

13. Utilizar enseres, equipos, accesorios y maquinaria de alta eficiencia.

14. Establecer un programa de mantenimiento preventivo. Mantener la propiedad en condiciones óptimas, no solo le brindará orgullo al dueño sino que mantendrá la propiedad luciendo bien y con buena demanda. Pinte la propiedad regularmente, cubra el asfalto y pinte las líneas divisoras de los estacionamientos (color blanco, no amarillo).

15. Disponer (vender) una propiedad parte de un portfolio de inversión la cual ha perdido toda capacidad de aumentar su valor en el mercado (a veces la mejor opción es deshacerse de la propiedad).

16. Realizar mejoras tales como reemplazo de puertas, ventanas y techos.

17. Mejorar los jardines, patios y el atractivo general de los exteriores.

18 Instalar gimnasios para los demás inquilinos en propiedades con espacios vacíos.

19 Establecer cafeterías dentro de propiedades. Estas son arrendadas a operadores independientes.

20 Utilizar espacios desocupados para alquileres temporeros a corto plazo para compañías nacionales. Estos conllevan un canon de arrendamiento muy alto el cual es mayor que si hubiese estado alquilado a largo plazo a un inquilino regular. Compañías nacionales regularmente tienen necesidades urgentes y el alto costo no es un problema.

21 Compre servicio de Cable TV en *bulk* e inclúyalo en la renta (a un precio mayor por pie cuadrado).

22 Alquilar todos los espacios disponibles. Suena lógico; sin embargo, muchos arrendadores no le dan el sentido de urgencia inmediato que merece la desocupación, resultando esto en una desvalorización de la propiedad.

23 Construir un estacionamiento. Un estacionamiento adecuado puede aumentar el valor de las rentas hasta un 30%.

24 Vender los derechos del nombre de la propiedad. Si usted tiene una propiedad comercial con un inquilino ancla, venderle el derecho a ponerle el nombre del inquilino al edificio resulta en ingresos de miles de dólares anuales.

25 Construir unidades de almacenamiento en solares vacíos (*mini-storage*).

26 Cambiar el tamaño de los espacios en la propiedad. Espacios más pequeños se rentan más rápido y con rentas más altas.

27 Mantener una lista de prospectos inquilinos. Controle el negocio, escoja al inquilino ideal. No se vea obligado a arrendarle al primero que cualifique, por no estar preparado.

Estas son algunas de las estrategias que he podido implementar, de forma exitosa, para varios clientes. Las posibilidades de crear, desarrollar e implantar otras son ilimitadas.

Los bienes raíces comerciales nos ofrecen esta gran oportunidad de ser creativos. Prepare un archivo de todas las técnicas, estrategias e ideas que puede ofrecer a sus clientes y podrá de esta forma proveer una mayor cantidad de valor añadido para sus clientes.

Efectos de Gastos e Ingresos Netos en el Valor

En la siguiente página encontrarán una tabla que presenta el efecto de los gastos fijos y los ingresos netos (NOI) en el valor de la propiedad. Esto basado en la tasa de capitalización prevaleciente y aplicable al tipo de propiedad en particular.

Estos dos tienen una relación inversa entre sí. Todos los gastos fijos reducen el valor de la propiedad en una proporción determinada por la tasa de capitalización prevaleciente.

Todo aumento en el ingreso neto operacional aumenta el valor de la propiedad en la proporción determinada por la tasa de capitalización prevaleciente.

Esta tabla le servirá de ayuda al momento de tomar decisiones con respecto a gastos a incurrir y posibles ingresos a adquirir.

Tasa de Capitalización	Gastos	Baja en Valor	Ingreso Neto	Alza en Valor
6%	$1	$17	$1	$17
	$10	$167	$10	$167
	$100	$1,667	$100	$1,667
	$1,000	$16,667	$1,000	$16,667
	$10,000	$166,667	$10,000	$166,667
	$100,000	$1,666,667	$100,000	$1,666,667
7%	$1	$14	$1	$14
	$10	$143	$10	$143
	$100	$1,429	$100	$1,429
	$1,000	$14,286	$1,000	$14,286
	$10,000	$142,857	$10,000	$142,857
	$100,000	$1,428,571	$100,000	$1,428,571
8%	$1	$13	$1	$13
	$10	$125	$10	$125
	$100	$1,250	$100	$1,250
	$1,000	$12,500	$1,000	$12,500
	$10,000	$125,000	$10,000	$125,000
	$100,000	$1,250,000	$100,000	$1,250,000
9%	$1	$11	$1	$11
	$10	$111	$10	$111
	$100	$1,111	$100	$1,111
	$1,000	$11,111	$1,000	$11,111
	$10,000	$111,111	$10,000	$111,111
	$100,000	$1,111,111	$100,000	$1,111,111
10%	$1	$10	$1	$10
	$10	$100	$10	$100
	$100	$1,000	$100	$1,000
	$1,000	$10,000	$1,000	$10,000
	$10,000	$100,000	$10,000	$100,000
	$100,000	$1,000,000	$100,000	$1,000,000
11%	$1	$9	$1	$9
	$10	$91	$10	$91
	$100	$909	$100	$909
	$1,000	$9,091	$1,000	$9,091
	$10,000	$90,909	$10,000	$90,909
	$100,000	$909,091	$100,000	$909,091

Creando Valor en los Apartamentos

Una de las inversiones más comunes son los apartamentos. Debido a la sencillez de administración de estas y sus bajos niveles de riesgo, los apartamentos continúan siendo una de las inversiones comerciales favoritas. Especialmente por inversionistas neófitos en el campo comercial.

Los apartamentos son y continuarán siendo el boleto de entrada al campo comercial para la mayoría de las personas que desean incursar en las inversiones de bienes raíces.

Encontramos en estos una gran variedad; no solo en tamaños sino también en la calidad y los mercados demográficos que los mismos abarcan. Esto ofrece al agente inmobiliario una gran oportunidad de ingresos.

En la siguiente página mostramos un ejemplo de la forma más común y eficiente de aumentar el valor de las propiedades comerciales de apartamentos. A través del aumento de las rentas los inversionistas tienen una excelente oportunidad de obtener un rendimiento mayor en su inversión.

Obviamente tenemos que estar en un mercado que justifique el aumento de las rentas. Sin embargo, la situación más común ocurre cuando los inversionistas temen a aumentar las rentas para no perder a sus inquilinos y no invierten el tiempo necesario para determinar cuán competitivos son en su mercado.

La mayoría de las veces los dueños de apartamentos cobran rentas que están por debajo del mercado para alquilar los mismos de forma rápida. Realizar el análisis que mostramos a continuación revelará el impacto de ese tipo de decisiones.

80 Apartamentos

	Renta Actual	Renta Nueva
Renta Promedio	$750	$800
Ocupación Promedio	98%	95%
Pérdidas	1%	1%
Rotación de Residentes	20%	30%
Gastos Operacionales	46% del Ingreso Bruto	46% del Ingreso Bruto
Ingresos de Rentas Potencial	**$720,000**	**$768,000**
menos Desocupación	$14,400	$38,400
menos Pérdidas	$7,200	$7,680
Ingreso Bruto Operacional	**$698,400**	**$721,920**
Gastos Operacionales	$321,264	$332,083
Ingreso Neto Operacional	**$377,136**	**$389,837**

Observe cómo el ajuste de las rentas produce un rendimiento adicional de **3.37%** en la inversión. Puede parecer insignificante pero esta pequeña cantidad suele ser la diferencia entre una inversión promedio y otra de alta calidad.

Al aumentar la renta promedio de $750 a $800 por apartamento mensuales se incrementará la rotación de los residentes (inquilinos) ya que no todos estarán de acuerdo con el aumento y decidirán mudarse de la propiedad.

Aun así, tomando en cuenta un incremento en la rotación de los residentes y añadiéndole a esto un aumento en el porcentaje de desocupación descubrimos que la propiedad nos brinda un rendimiento mayor en la inversión.

Además, el ingreso neto operacional aumenta **$12,701**. Utilizando una tasa de capitalización conservadora de 10%, este incremento representa un aumento en el valor de la propiedad de **$127,010** sin mucho esfuerzo.

Las Mejoras Aumentan el Rendimiento

Otra forma de aumentar el rendimiento en la inversión es a través de mejoras bien estructuradas. Es importante conocer dónde se pueden realizar mejoras que incrementen el rendimiento en la inversión de forma acelerada.

En las propiedades comerciales de apartamentos encontramos que las mejoras que más añaden valor a la inversión son los baños y las cocinas. Similar a la venta de unidades residenciales, estas áreas son de especial atractivo para los prospectos.

Esto ofrece al inversionista la oportunidad de continuar de forma consistente un plan de mejoramiento para la propiedad a la vez que el rendimiento en su inversión se acelera.

En la próxima página, veremos el efecto de invertir **$3,500** en la renovación de baños y cocinas en todos y cada uno de los apartamentos. Esto requiere una inversión total de **$280,000**. Al realizar esto aumentaremos **$50** adicionales a la renta promedio para un total de **$850** al mes.

El aumento total de todas las rentas representa un ingreso adicional de **$48,000** anuales. Lo que representa un rendimiento en esta inversión de **17.14%**. En este caso los apartamentos son más atractivos para los prospectos y el alquiler de los mismos es mucho más rápido, aún en momentos de recesión.

Esto se debe a que en muchas ocasiones estarán compitiendo con unidades nuevas que fueron construidas con una inversión mucho mayor que la que requirió para remodelar el apartamento, pero son muy comparables en amenidades, diseño y estilo.

80 Apartamentos - Mejoras

	Renta Nueva	Mejoras
Ingresos de Rentas Potencial	**$768,000**	**$772,000**
menos Desocupación (5%)	$38,400	$38,600
menos Pérdidas	$7,680	$7,720
Ingreso Bruto Operacional	**$721,920**	**$725,680**
Gastos Operacionales (40%)	$332,083	$308,800
Ingreso Neto Operacional	**$389,837**	**$416,880**

Observe que los gastos operacionales se redujeron a un **40%**. Esto es el resultado de haber realizado las mejoras en los baños y las cocinas. Estas son áreas que históricamente requieren una considerable parte del presupuesto de mantenimiento.

La realización de estas mejoras produjo un aumento en el ingreso neto operacional de **$27,043**. Nuevamente asumiendo una tasa de capitalización conservadora de **10%**, creando un aumento en el valor de la propiedad de **$270,430**. Esto es en adición al aumento anterior de **$127,010** para un aumento total de **$397,440** simplemente utilizando estas dos estrategias.

Estas dos son las estrategias más básicas utilizadas por los grandes fideicomisos y sindicatos de los Estados Unidos. Es una fórmula ganadora. La sencillez y facilidad de su aplicación ha creado y sigue creando enormes fortunas.

Las siguientes páginas muestran cómo la localización de la propiedad con respecto a los patrones de tráfico afectan el valor de las mismas. Utilice estos ejemplos como referencia.

Estudie la aplicación de estas estrategias y conozca la forma de implementarlas para así ser de mayor utilidad para sus clientes. Es este tipo de conocimiento el que le ayudará a desarrollar una clientela leal.

Patrones de Tráfico

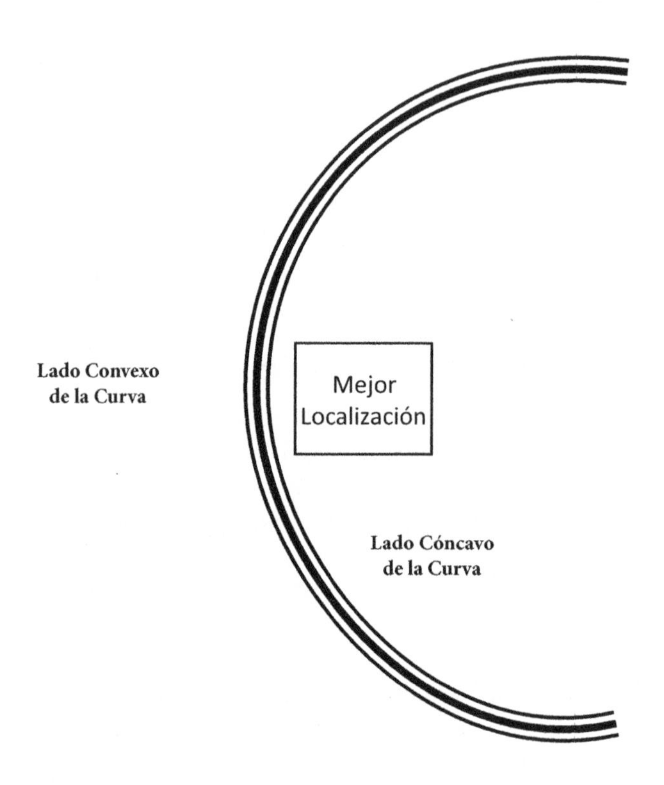

Esta ilustración muestra la mejor localización de una propiedad en una curva. El lado cóncavo es siempre el preferido debido a que es este el que ofrece la mayor visibilidad.

Especialmente si la propiedad es utilizada como negocio de ventas al detal, el lado cóncavo de una curva representa la localización que ofrece el mayor valor a la propiedad.

Dos propiedades idénticas, una frente a otra, en una curva tendrán valores diferentes. La propiedad localizada en el lado cóncavo de la curva tendrá muchos más visitantes que la localizada en el lado convexo de la misma.

Patrones de Tráfico

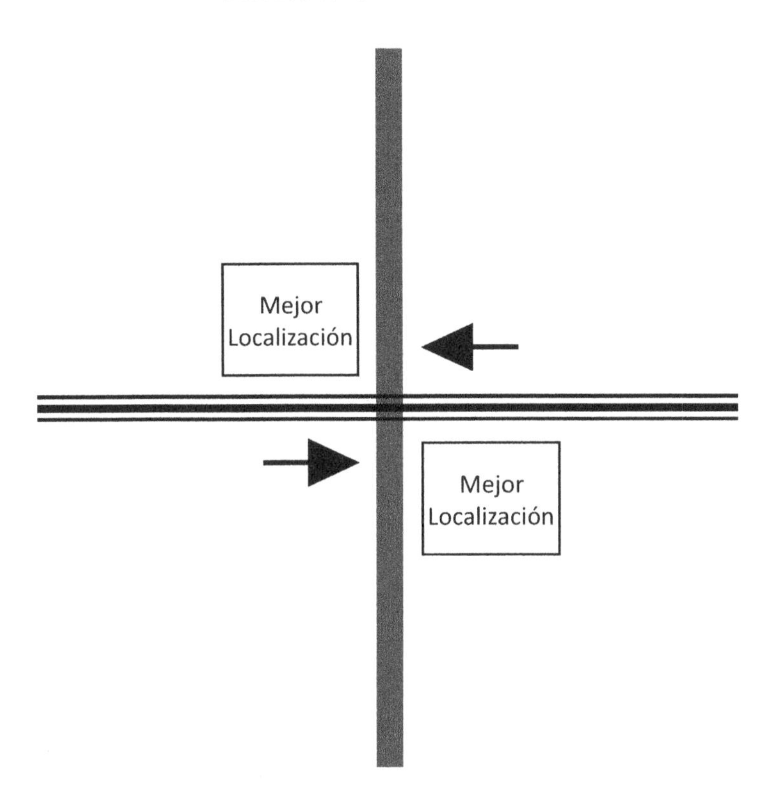

Esta ilustración muestra la mejor localización de una propiedad en una intersección. La via horizontal en este ejemplo, representada aquí con tres líneas, indica la avenida o carretera de mayor tráfico.

La esquina inmediatamente después de la intersección es la localización de preferencia. La propiedad aquí situada tendrá mayor valor en el mercado.

Cabe señalar que muchas veces las municipios cambian la dirección de las rutas, especialmente en los pueblos pequeños. Esto podría afectar el valor de una propiedad.

Administración

"La forma más costo efectiva de incrementar el valor de las propiedades es a través de una administración creativa y competente".

6

Administración

Administrando para un Alto Rendimiento

Son muchas las razones que tienen nuestros clientes para comprar propiedades comerciales. Ya sea para establecer su negocio, para añadir sucursales a su empresa, como almacén, para manufactura, como centro de distribución, etc.

Otras personas invierten en bienes raíces con la idea de preservar el capital que han adquirido en sus empresas. Es muy común que empresarios adquieran propiedades de forma consistente mientras crecen sus negocios principales. Sin embargo, muy pocas veces administran sus adquisiciones inmuebles como el negocio que en realidad son.

Frecuentemente, las propiedades adquiridas resultan ser las que preservan el capital de generación en generación. Es por esto que es necesario entender que las propiedades comerciales son un negocio y tratarlas como tal.

Esta educación es parte de su trabajo para con sus clientes comerciales. Es imperativo que usted pueda asesorar a sus clientes en cómo obtener el mayor rendimiento y crecimiento en su inversión, esto incluye la administración de la propiedad.

Lo primero que tenemos que hacer es entender y estar claros que una propiedad comercial es un negocio, aunque su cliente tenga solo un local.

Esto significa que el propietario debe preparar, administrar y darle seguimiento a un presupuesto por escrito para su negocio, ya sea un local pequeño o 100 propiedades dispersas en diferentes áreas.

Una de las primeras cosas que debe determinar es cuánto son los gastos, expresados de forma porcentual, en relación a los ingresos.

Es importante también que este conozca si los ingresos que está obteniendo son los ingresos potenciales, basados en un estudio de mercado o si son ingresos que están por debajo del mercado o tal vez por encima del mercado.

Cualquiera de estas situaciones pudiera ocurrir. Lo más común es que los ingresos obtenidos por personas que poseen propiedades comerciales y no las administran como negocios, están por debajo del mercado.

Esta es una de las razones que fundamenta el que sus clientes deban utilizar los servicios de un agente inmobiliario experto en el campo comercial. Ese agente debe ser usted.

La adecuada administración de los activos de bienes raíces afecta los contratos de compraventa, el refinanciamiento, la hoja financiera de balance, los seguros y otros aspectos de la propiedad como objeto de inversión.

El ingreso potencial siempre está determinado por el mercado. Es importante que el propietario o administrador realice un estudio de las rentas en el mercado en el que estos operan por lo menos cada seis meses.

Simplemente comuníquese con dueños de propiedades similares, tasadores, o administradores de propiedades para actualizar su estudio de mercado.

Este reporte debe tener un formato específico y ser consistente siempre que lo use. Recuerde, por ejemplo, que en dos locales exactamente iguales las rentas pueden ser muy diferentes debido a incentivos contributivos para el comerciante. No obstante, si este local cambiara de arrendatario, los incentivos tal vez no puedan honrarse para este nuevo.

Por lo tanto, debe tener en cuenta el detalle de que si una propiedad en particular tiene un arrendatario cuyo negocio posee incentivos especiales, es de suma importancia a la hora de determinar el valor del mercado de ese contrato que se consideren estas condiciones especiales.

Todo propietario o administrador debe recopilar la siguiente información si desea obtener el mayor rendimiento en la inversión. La misma debe mantenerse de forma organizada.

1. Un estudio de mercado detallado para cada una de las propiedades que posee.
2. Anotar los ingresos totales de las propiedades individualmente si existe más de una propiedad.
3. Anotar los gastos totales por propiedad (aunque su cliente no pague todos los gastos porque los contratos son absolutamente netos y estos sean responsabilidad del inquilino, es muy importante de todas formas que conozca cuáles son los gastos de la propiedad en todas las categorías: agua, luz, contribuciones, seguros, recogido de basura, etc.).
4. Determinar la ganancia neta de cada una de las propiedades (ingresos - gastos).
5. Determinar qué porcentaje de los ingresos representan cada uno de los gastos.
6. Determinar el porcentaje de cada categoría de gastos.
7. Finalmente, determinar cuál es el porcentaje de ganancia neta por propiedad.

Ofrecemos una muestra de cómo se deben desglosar los gastos y los porcentajes que estos representan. Tomamos esta muestra de la página que nos presenta el *rent roll.*

Calculamos los gastos e identificamos su proporción como un porcentaje del ingreso bruto operacional. En nuestro ejemplo, el ingreso bruto operacional es $340,000.

Gastos	Cantidad Anual	Porcentaje
Impuestos	$10,000	3%
Seguros	$4,500	1%
Electricidad	$26,500	8%
Agua y Alcantarillado	$3,000	1%
Mantenimiento	$6,000	2%
Servicios Profesionales	$1,800	1%
Administración	$17,000	5%

Para efectos de este ejemplo existe un 100% de ocupación en la propiedad, y no existen otros ingresos. Esto resulta en un ingreso de rentas potencial, ingreso de rentas efectivo e ingreso bruto operacional que son iguales.

Esto es muy común en centros comerciales pequeños, pero muy raro en centros comerciales grandes. El centro comercial utilizado para este ejemplo es un centro comercial de vecindario.

Una vez recopilada esta información, estamos preparados para el próximo paso. Ahora vamos a hacer proyecciones a largo plazo para determinar el rendimiento y crecimiento de la inversión durante el período de titularidad.

Como regla general y para efectos de este ejemplo, utilizaremos una tasa de crecimiento anual de 10% (esta es conservadora y si se administran los bienes inmuebles de forma correcta, es lo mínimo que se debería obtener).

Todo propietario debe estar informado sobre el porcentaje de inflación prevaleciente en su mercado. Compare, entonces, el rendimiento anual de sus inversiones contra la inflación.

Si el rendimiento obtenido por las inversiones es menor al porcentaje de inflación, el poder adquisitivo del inversionista propietario ha disminuido. Si el rendimiento obtenido es mayor al porcentaje de inflación, la diferencia entre estos es lo que representa el rendimiento real de su inversión. Esto aplica a cualquier negocio.

Con esta información nos dirigimos ahora a preparar proyecciones de ingresos de nuestro negocio. Lo **primero** que tenemos que hacer es preparar una lista de las propiedades, haga esta en forma vertical.

Segundo, añada una lista de los años venideros comenzando con el año actual. Una proyección a cinco (5) años es la más apropiada. Liste las rentas que obtiene de cada una de sus propiedades por año y los gastos si usted incurre algunos.

Si no incurre en gasto alguno, entre cero (0) en la proyección; sin embargo, anote en otra parte cuáles son estos gastos para efectos de conocimiento personal.

Si fuera solo una propiedad y esta fuera utilizada para un negocio propio, asígnele una renta tal como si se estuviera arrendando el local a un tercero. Esto es precisamente el objetivo del ejercicio. Operar la propiedad como si fuera un negocio separado de cualquier negocio principal.

Estudio de Mercado				
Descripción	**Propiedad Sujeto**	**Comp 1**	**Comp 2**	**Comp 3**
Nombre de la Propiedad	Los Molinos	Vistamar	El Centro	Las Villas
Localización	Metro	Metro	Metro	Metro
No. Unidades	10	14	12	14
No. de Pisos	1	2	1	2
Tamaño en P^2	22,500	32,750	26,450	31,500
Renta por P^2	$15	$16	$13	$18
CAM por P^2 (gastos comunes)	$0	$0	$0	$0
Ocupación (%)	100%	100%	85%	92%
Contratos	Bruto	NNN	Bruto	NNN
Edad	10 Años	2 Años	12 Años	1 Año
Estacionamientos	45	114	52	126
Elevador	No	No	No	No
Dueño	EGDA	RH & Co.	N.E. Inc.	RH & Co.
Administración	ABC Realty	En Casa	Dueño	En Casa
Tipo	Clase B	Clase A	Clase C	Clase A

Esta tabla es un ejemplo sencillo de cómo se debe crear un estudio de mercado. Cada tipo de propiedad tiene elementos particulares que se necesitan monitorear. Incorpore estos elementos en la forma que usted desarrolle.

Utilice esta tabla como una muestra para mantener información de mercado y como punto de referencia para asesorar a sus clientes, con respecto a la administración de las propiedades que estos poseen.

Recuerde que no es correcto pensar en un local como un activo del negocio principal, sino como un negocio por sí solo.

Ahora vamos a analizar su proyección. Observe cuánto es el aumento en las rentas de año a año y establezca el porcentaje de cambio. Utilice los porcentajes obtenidos en su estudio de mercado y determine si la inversión está logrando obtener un crecimiento.

Como medida utilice el 10% que ya explicamos. Proceda a comparar los porcentajes de gastos e ingresos netos y establezca el estado de situación del negocio de bienes raíces.

Lo ideal sería que el aumento en ingresos por concepto de rentas fuera por lo menos un 10% y que los porcentajes de gastos se mantuvieran iguales en relación al aumento de forma porcentual.

Es decir, si el porcentaje de su gasto de electricidad es 8% del ingreso bruto operacional, el aumento en tarifas de electricidad debe reflejar este mismo porcentaje con respecto al aumento en el ingreso bruto operacional de año en año.

Esto no siempre es posible, pero sí nos provee con un punto de referencia para medir nuestros resultados e identificar áreas de mejoramiento.

Recuerde, también, que la propiedad está adquiriendo un aumento en su valor por concepto de apreciación. Este varía anualmente y usted se lo sumará al porciento de ganancia ya obtenido.

Por ejemplo, si el aumento en sus ingresos fue de 10.5% y la apreciación de su bien inmueble, basado en su mercado, aumentó un 5%, usted ha obtenido un aumento efectivo, total y global en el rendimiento de su inversión del 15.5%.

Tenga en cuenta que el aumento en rentas, aumenta en forma multiplicada el valor de su propiedad. Por ejemplo, asumiendo una tasa de capitalización de 10%, si usted obtuvo un aumento en rentas de $6,000 anuales ($500/mensuales), usted acaba de aumentar el valor de su propiedad $60,000.

Es por esto que es tan importante monitorear las inversiones con mucha cautela ya que lo mismo ocurre con los gastos. Si los gastos aumentan $6,000 anuales y los ingresos se estancan, la propiedad disminuirá en valor $60,000.

Las propiedades, aunque deprecian para efectos contributivos y de contabilidad, aprecian para efectos de valor de mercado. Esta es la magia de los bienes raíces.

La operación puede mostrar una pérdida en papel; pero obtendrá una ganancia real en efectivo para el inversionista, la cual puede depositar en su cuenta bancaria.

Con esta proyección en mano, determine ahora si alguno de los años venideros muestra un rendimiento o crecimiento pobre y determine hoy qué hacer para contrarrestar esta situación y corregirla. Sea proactivo, si usted es el administrador asesore a su cliente adecuadamente a hacer lo mismo.

Desarrolle la capacidad de identificar y proyectar el comportamiento de los bienes inmuebles en el futuro con buenos análisis actuales y tendrá en sus manos una herramienta muy poderosa al momento de asesorar a sus clientes y lograr obtener la lealtad de estos.

Su habilidad para ofrecer valor añadido es el elemento principal que buscan los clientes. Especialmente los más sofisticados. Es esta misma habilidad la que le permitirá obtener ingresos superiores. En un mercado siempre cambiante, el que mejor información y sistemas posee será el mejor remunerado.

Parte de la administración de bienes raíces es crear mejoras que justifiquen el aumento de las rentas a cobrar. Utilice la siguiente tabla para ayudarle a tomar mejores decisiones al realizar las mismas y garantizar el rendimiento adecuado.

Costo de las Mejoras	15%	12%
$500	$6	$5
$1,000	$13	$10
$1,500	$19	$15
$2,000	$25	$20
$2,500	$31	$25
$3,000	$38	$30
$3,500	$44	$35
$4,000	$50	$40
$4,500	$56	$45
$5,000	$69	$55
$6,000	$75	$60
$6,500	$81	$65
$7,000	$88	$70
$7,500	$94	$75
$8,000	$100	$80
$8,500	$106	$85
$9,000	$113	$90
$9,500	$119	$95
$10,000	$125	$100
$25,000	$313	$250
$50,000	$625	$500
$75,000	$938	$750
$100,000	$1,250	$1,000
$500,000	$6,250	$5,000
$1,000,000	$12,500	$10,000

Esta tabla presenta el aumento adicional necesario en renta mensual para lograr obtener el rendimiento en la inversión deseado (ROI). Estos ejemplos son al 15% y 12% respectivamente.

Consejos

"El que a buen árbol se arrima, buena sombra le cobija".—Refrán Popular

7

Consejos

En este capítulo comparto una serie de consejos para ofrecer a sus clientes de bienes raíces comerciales. Utilícelos para ampliar su conocimiento de la industria a la vez que desarrolla sus destrezas como agente inmobiliario de propiedades comerciales.

Reduzca el Riesgo en las Inversiones

Compre o construya desde la perspectiva del mercado. Tenga una idea clara del tipo de producto y áreas que están teniendo la mayor demanda y cómo entrar favorablemente en ese mercado.

No importa la situación económica existente, siempre hay sectores que están atravesando por un período de crecimiento muy positivo. Identificar estos sectores le brindará más seguridad y un mejor rendimiento a su inversión.

Conozca los costos y la dinámica del mercado. Investigue los precios del mercado, los costos de construcción, administración y mejoras, para que usted pueda posicionar su proyecto de una manera favorable para prestamistas e inversionistas.

Conozca su capacidad financiera. Tenga una clara idea de su capacidad financiera real, no la que usted quisiera que fuera. Muchas veces, la realidad del valor de los activos que poseemos está muy lejos de nuestra idea del valor de esos activos.

Establezca un equipo de profesionales que brinden valor a su inversión. A todos nos gusta trabajar con amigos; pero, su equipo de trabajo debe ser seleccionado por los méritos obtenidos, los conocimientos y experiencia que brindan a la empresa.

Recuerde siempre las preguntas básicas al momento de invertir. ¿Cuánto efectivo estoy dispuesto a arriesgar? ¿Cuál es el valor de mis activos sin incluir la inversión en cuestión? ¿Cuántos de mis activos pueden ser liquidados por efectivo si esto fuera necesario?

Preguntas al invertir

Muchos inversionistas se preguntan cuáles son los elementos que deberían considerarse al momento de invertir en bienes raíces comerciales para tomar una mejor decisión.

En la próxima página presento una compilación de preguntas que le ayudarán a identificar propiedades adecuadas para inversión. Con tantas propiedades disponibles en el mercado es necesario identificar aquellas que en realidad resulten en una buena inversión para usted.

La siguiente lista no incluye todo lo que hay que analizar al momento de comprar, pero sí le ofrece al inversionista y al agente inmobiliario un buen punto de partida.

Basado en las metas del cliente esta serie de preguntas determina si la propiedad es o no una buena inversión.

¿Cuál es el mejor uso de la propiedad?

¿Se pueden aumentar las rentas?

¿Puedo obtener un mejor precio por su condición?

¿Puedo obtener un mejor precio por la localización?

¿Poseo el equipo adecuado para trabajar la propiedad?

¿Existen restricciones en los contratos?

¿Cuánto efectivo necesito para adquirirla?

¿Cuál es mi capacidad de financiamiento?

¿Con cuántos inversionistas competiré en el mercado?

¿En qué parte del ciclo de bienes raíces estamos?

¿Cuán grande es el inventario de su tipo de propiedad?

¿Cuál es el estado de los intereses de préstamos?

¿Cuán cerca de mi casa u oficina está la propiedad?

¿De qué se compone la mezcla de inquilinos?

¿Cómo es el crimen alrededor de la propiedad?

¿Qué desarrollos están planificados para el área?

¿Cuál es el nivel de ingresos de los inquilinos?

¿Es la propiedad muy grande para mí?

¿Es la propiedad muy pequeña para mí?

¿Comprendo lo que afecta el valor de la propiedad?

¿Debo inspeccionar profesionalmente la propiedad?

¿Cuál es la condición del alambrado eléctrico?

¿Cuál es la condición de la plomería?

¿Son las comparables aceptables?

¿Cuál es el precio por pie cuadrado?

¿Cuál es el precio por metro cuadrado?

¿Cuál es el precio por unidad?

¿Existe tasación?

¿Cómo se ve el área de noche?

¿Existen demandas contra la propiedad?

¿Debo contratar la administración de la propiedad?

¿Qué prestatarios se especializan en esta propiedad?

¿Cuál será el rendimiento el primer año?

¿Se está invirtiendo a largo o corto plazo?

¿Comprendo los factores que afectan la rentabilidad?

¿Cómo calculo la ganancia de capital?

¿Cuánto significa para mí en efectivo la depreciación?

¿Cuán rápido puedo vender si tuviera que hacerlo?

¿Qué tipo de corporación me provee mayor protección?

Estas y otras preguntas le ayudarán a tomar una decisión adecuada y en acorde con sus metas de inversión. Tómese el tiempo necesario para descubrir las respuestas y asegurarse de que son satisfactorias para usted.

Perfil del Inversionista

Nombre ______________________________

Dirección ______________________________

____

Teléfonos

Casa ______________________

Oficina ______________________

Celular ______________________

Otro ______________________

1 Tipo de propiedad en la que interesaría invertir:

__________ Industrial (almacenes, manufactura, etc.)

__________ Oficinas

__________ Comercial (ventas al detal)

__________ Residencial (apartamentos)

__________ Uso mixto

2 Cantidad de capital que tiene presupuestada para invertir:

__________ $10,000 - $24,999

__________ $25,000 - $49,999

__________ $50,000 - $74,999

__________ $75,000 - $99,999

__________ $100,000 - $249,000

__________ $250,000 - $499,000

__________ $500,000 - $1,000,000

__________ $1,000,000 +

3 Forma preferida de invertir:

__________ Individual (solo)

__________ Sociedad (varias personas)

__________ Sociedad Limitada (LLC)

4 Área (s) geográfica (s) en la (s) que preferiría invertir:

____

____

DETALLES A CONSIDERAR AL INVERTIR

Renta de inquilinos. Verificar quiénes son los inquilinos que pagan la renta más alta. Pudiera ser que fuera el dueño de la propiedad o un socio con interés en que la propiedad se venda por el precio más alto. A veces, tenemos rentas altas porque en algún momento hubo un período de renta gratis. En este caso, tenemos que determinar el promedio mensual efectivo.

Costos de operación muy bajos. Los dueños pueden que estén administrando la propiedad ellos mismos; pero, si usted al comprar no piensa hacer lo mismo, debe calcular el costo de administración al hacer el análisis financiero.

Tasación para efectos contributivos. Verifique el tamaño de la propiedad que le indica el dueño/vendedor de la propiedad contra la tasación contributiva. Si el dueño indica que la propiedad tiene 40,000 pies cuadrados y el documento registral muestra solo 35,000 en la tasación, puede haber ocurrido una adición que aún no se ha registrado. Esto aumentará su costo contributivo. Esto es muy común especialmente en países con sistemas pobres de registro.

Prima de seguros muy baja. Verifique que la prima de seguros es adecuada para el valor actual de la propiedad. ¿Qué cubre la prima? Si la cobertura es insuficiente, ¿cuánto más costará obtener la cubierta adecuada?

Al momento de invertir en bienes raíces es muy importante analizar la propiedad y sus finanzas desde todos los puntos de vista posibles para garantizar el mejor rendimiento.

Si usted posee una tasación, casi toda esta información la encontrará en dicho documento.

Usted debe tener un *Perfil de Propiedad* para cada una de sus propiedades y actualizarlo anualmente. Como ya hemos mencionado, es muy recomendable que una vez al año usted cotice el costo de sus seguros, por lo menos, con tres compañías diferentes. Tener el *Perfil de Propiedad* a la mano facilita la obtención de estas cotizaciones.

Parte de actualizar su perfil anualmente será la verificación de la zonificación de su propiedad. Las zonificaciones cambian y usted pudiera estar o no informado.

Estar al tanto de la zonificación actual lo mantendrá al día sobre el posible valor de su propiedad. Con el cambio de zonificación su propiedad pudiera aumentar en valor, pero también pudiera disminuir en valor. Puede que usted haya comprado su propiedad con cierta zonificación y esta haber cambiado sin conocer el valor actual.

La creación de un *Perfil de Propiedad* solo toma unos minutos. Usted obtendrá grandes beneficios teniendo la información siempre a la mano y actualizando la misma anualmente.

Como persona de negocios usted conoce que debe realizar aquellas tareas que le devenguen el mayor rendimiento en su tiempo. Esta es una de esas tareas. Comience ahora mismo y estará muy complacido con sus resultados.

RELEVANCIA DE UN *PERFIL DE LA PROPIEDAD*

Toda persona que posea propiedades comerciales debe adoptar como sistema la creación de un *Perfil de Propiedad*. Esto es simplemente una hoja informativa la cual debe contener toda la información que usted pueda recopilar sobre su propiedad.

Como mínimo, este *Perfil de la Propiedad* debe incluir la siguiente información:

Dirección

Número de catastro

Zonificación

Código de inundación según los mapas de FEMA

Cabida del solar (en metros cuadrados)

Tamaño del edificio o edificios (en pies cuadrados)

Tasación contributiva del solar

Tasación contributiva de las mejoras

Número de estacionamientos

Capacidad de la subestación en KVA (si aplica)

Cantidad de contadores de agua y de electricidad

La existencia de algún tipo de servidumbre

Número de unidades

Número de pisos

Topografía de la superficie

Inventario de Propiedades Comerciales

Foto de la Propiedad

Nombre de la Propiedad	______________
Dirección de la Propiedad	______________
	______________
Tipo de Propiedad	______________
Número Catastral	______________
No. de Pisos	______________
No. de Edificios	______________
Altura de los Techos	______________
Pies Cuadrados (edificio)	______________
Metros Cuadrados (solar)	______________
Precio de Venta por Pie $_2$	______________
Precio de Venta por Metro $_2$	______________
Renta por Pie $_2$	______________
Contribuciones	______________
CAM (gastos comunes)	______________
No. de Estacionamientos	______________
Zonificación	______________
Código FEMA	______________

La regla de oro en bienes raíces es comprar la peor propiedad del vecindario.

El número más importante

Al invertir en bienes raíces podemos fácilmente pasar muchas horas analizando todos los ángulos. Las preguntas más comunes lo son: ¿Cuánto es el flujo de efectivo que la propiedad produce? ¿Cuánto son los gastos? ¿Cuánto será el pago del préstamo? y ¿Cuál es la tasa de capitalización prevaleciente?

Ciertamente la respuesta a estas y otras preguntas es muy importante para guiarnos efectivamente a una toma de decisión adecuada. Sin embargo, estas no son las preguntas más importantes. La pregunta que nos debemos hacer antes que cualquier otra es: ¿Podemos eficientemente y de manera relativamente rápida aumentar el valor de la propiedad?

Aun si la respuesta a esta pregunta es NO, no significa que descartemos la posibilidad de invertir en la propiedad. Definitivamente nos ayuda a determinar si debemos continuar hacia adelante o dirigir nuestros esfuerzos hacia otro proyecto.

La razón por la cual existen tantas propiedades para la venta y no se venden, muchas veces tiene que ver con que la respuesta a esta pregunta es NO.

Lección 1. Enfoque sus esfuerzos hacia propiedades que tengan un potencial real de aumento en valor en un período relativamente corto de tiempo, aun si la situación actual no es la más atractiva.

Lección 2. Cuando sea su turno de vender, mientras más usted incorpore la Lección 1 en la ecuación, más rápido venderá.

La capacidad para identificar propiedades con gran potencial de aumento en valor y en localizaciones de futuro crecimiento económico que le provean un rendimiento superior en su inversión es la característica más útil que se puede desarrollar como inversionista de bienes raíces.

Esto se logra estudiando el comportamiento de los mercados y aprendiendo las distintas formas de obtener mayores beneficios de las mismas propiedades.

Dos inversionistas diferentes pueden obtener resultados muy distintos de la misma propiedad. Todo está en la forma de administrar la propiedad: desde el mantenimiento físico y sus mejoras hasta la forma de redactar los contratos.

Tómese el tiempo necesario para conocer a fondo el mercado donde desea invertir y en muy corto tiempo obtendrá resultados muy positivos sin importar el ciclo económico prevaleciente.

Factores de riesgo al invertir

Los bienes raíces son una de las inversiones más seguras que existen. Sin embargo, ofrecen cierto tipo de riesgos los cuales debemos conocer para mitigar su impacto.

En las próximas secciones discutiremos los detalles que debemos conocer para lograr buenas inversiones y aumentar el rendimiento obtenido de las mismas.

Aumento en intereses

El aumento de intereses crea un riesgo en la inversión debido a que se necesitan más ingresos netos para cumplir con las obligaciones de pago de préstamo.

Muchas veces, el aumento en intereses conduce a que una inversión que hubiese podido ser factible se convierta en una inaceptable debido a la reducción en rendimiento. Al mismo tiempo, las instituciones prestamistas estarán menos propensas a financiar dichas compras.

El aumento en los intereses, sin embargo, no afecta el valor de la propiedad ya que dicho valor lo determina el ingreso neto operativo y este cálculo no toma en consideración el pago de préstamo. Pero sí afecta el flujo de efectivo producido por la propiedad.

Desocupación

El porcentaje de desocupación de una propiedad afecta en gran medida el rendimiento en la inversión. En propiedades de inversión residenciales (apartamentos) el aumento de los intereses aumenta la ocupación de la propiedad, lo cual es muy bueno.

Al aumentar los intereses es más difícil para el inquilino comprar su propia casa. Cuando los intereses bajan ocurre lo contrario. Al ser más fácil adquirir una casa, la desocupación aumentará.

Al subir los intereses, también, se pueden incrementar las rentas sin temor a perder los inquilinos. Al bajar los intereses, las rentas no pueden aumentarse mucho. Por otra parte, tal vez si los intereses bajan demasiado haya que reducir las rentas o arriesgarse a tener los apartamentos desocupados por un período más largo.

Esto afecta de forma negativa el flujo de efectivo y el valor de la propiedad simultáneamente.

Ambiente Económico

El ambiente económico afecta las inversiones de bienes raíces de tres maneras:

Los prestamistas se sienten menos inclinados a financiar nuevas adquisiciones por temor a tener que embargar la propiedad.

Los inversionistas se encuentran menos motivados a adquirir propiedades por temor a no tener suficiente equidad en las mismas.

Los consumidores (entiéndase *inquilinos*) son menos tolerantes a aumentos de renta lo cual limita el incremento de sus ganancias.

Actualmente en Puerto Rico existen muchos negocios localizados en centros comerciales que han optado por no renovar sus contratos debido a los aumentos de renta previamente establecidos.

Estas empresas han preferido mudarse a locales menos favorables a cambio de rentas muchos más económicas.

Muchas empresas pueden darse el lujo de reducir sus ventas por más de $100,000 anuales y todavía obtener mayores ganancias sin estar en los centros comerciales.

Competencia

Aquellos que están activos en el negocio de los bienes raíces saben que todo el tiempo se están construyendo nuevos edificios. Las personas fuera de la industria a penas se dan cuenta de que esto ocurre, a menos de que se construya algo cerca de su vecindario.

Es por esto que es muy importante al momento de adquirir propiedades para inversión de asegurarse de comprar estas por un valor menor que el costo de construcción de una propiedad similar.

De otra manera, no podrá competir con propiedades nuevas con mejores amenidades y que posibles inquilinos preferirían por aproximadamente el mismo precio por pie cuadrado.

Otra alternativa es concentrarse en áreas con altas barreras a la nueva construcción; esto es áreas donde ya no es posible construir algo nuevo.

De esta forma, el inversionista se asegura de mantener el control de las rentas y aumentarlas consistentemente. Por lo que también incrementará el valor de la propiedad y su rendimiento total de la inversión.

Delincuencia de rentas

La inhabilidad de cobrar sus rentas a tiempo es otro riesgo que hay que controlar. En inversiones residenciales (apartamentos) el riesgo es mucho menor debido a que las personas consideran el pago de sus hogares una prioridad.

Esto no significa que todos los pagos se realicen a tiempo, pero ofrece al inversionista mayor protección. Todo lo contrario ocurre con edificios comerciales. Los inquilinos pueden dejar de pagar sus rentas y hasta declararse en quiebra, dejándolo a usted con una deuda y un local vacío al mismo tiempo.

ILIQUIDEZ DE LA INVERSIÓN

Los bienes raíces se consideran un tipo de inversión no-tradicional debido a su iliquidez al momento de vender. Son muchas las personas que tienen grandes fortunas atadas a sus bienes inmuebles; sin embargo, al momento de vender se les hace muy difícil liquidar la inversión.

Esto es una realidad de los bienes raíces y un riesgo que hay que conocer antes de invertir y planificar adecuadamente antes de vender. Es muy importante conocer los factores que favorecen la propiedad al momento de vender y preparar su propiedad antes de que usted decida que es tiempo para vender.

Con una buena planificación y con mucho tiempo por adelantado, usted podrá liquidar su inversión de forma muy exitosa. Además, tiene que planificar el efecto contributivo al momento de vender. Este puede ser un gasto muy alto y el cual debe evaluar con la ayuda de un CPA competente.

Dólar por dólar, los bienes raíces ofrecen la mejor de las opciones para adquirir una gran fortuna en un período razonable de tiempo. Mientras más educados estemos con respecto a los factores de riesgo, mejor será la planificación y mayor su rendimiento.

NOI (Ingreso Neto Operacional)

Diferentes inversionistas utilizan diferentes métodos para determinar el *Ingreso Neto Operacional* (NOI) de sus propiedades. Sin embargo, existe solo un método que es el correcto y el utilizado por las instituciones financieras al momento de solicitar un préstamo.

Lo primero que tomamos en consideración son todos los ingresos de la propiedad. A estos le restamos todos los gastos operacionales.

Estos incluyen las utilidades, el mantenimiento, gastos legales, gastos administrativos, reparaciones, contratos de servicio, contribuciones, seguros, recogido de basura, publicidad, administración, contabilidad, efectos de oficina, salarios y otros.

Lo que es importante es conocer lo que NO se considera para determinar el ingreso neto operativo. Es importante dominar los factores a considerarse ya que estos determinan el valor correcto de la propiedad.

El pago o los pagos por concepto de préstamos NO son considerados al momento de determinar el NOI. Los gastos de capital tampoco son considerados al momento de determinar el NOI.

Las mejoras que usted realice en su propiedad tales como puertas, ventanas, acondicionadores de aire, nuevo asfalto en el estacionamiento, pintura del edificio completo, divisiones del área interior y adiciones, por ejemplo, no son elementos a incluir en su cálculo de NOI.

No sea víctima de la poca información

Una de las áreas más importantes al momento de invertir en bienes raíces es la confiabilidad de la información que el dueño actual le provee.

Muchas veces existe poca información con respecto a los contratos existentes en una propiedad. Por ejemplo, el dueño actual le indica que el contrato de seguridad ya expiró o que el contrato de servicio para el elevador es de mes a mes.

Muchas veces, esta información no es del todo correcta y a veces, hasta el mismo dueño no tiene conocimiento de la duración de los contratos existentes en su propiedad.

Otra área de información confusa está en los cargos de CAM (gastos de áreas comunes). Muchos dueños de propiedades de inversión le indican al posible comprador que los gastos de las áreas comunes están incluidos en la renta de los inquilinos. Cuando en realidad el contrato está redactado de forma tal que la renta total es la pautada inicialmente, aunque esta haya incluido gastos de áreas comunes.

La diferencia es que si está pautado en el contrato de arrendamiento como renta total, usted no podrá aumentarle al inquilino la participación de los gastos de áreas comunes, aunque a usted le incrementen los mismos.

En este caso tendría que esperar a la renovación del contrato para entonces renegociar los términos. También existe confusión en los términos de arrendamiento. Recientemente tuvimos un cliente con la farmacia Walgreens® como uno de sus inquilinos.

El cliente le indicó al posible comprador que Walgreens® tenía un contrato de 20 años cuando en realidad el contrato es de solo 5 años; pero con opción para renovación cada 5 años hasta un término de 20 años.

Como dice el refrán: "No es lo mismo, ni se escribe igual". Actualmente están en el año 4 de uno de esos términos. Así que en realidad Walgreens® tiene un contrato de menos de 1 año el cual pudieran o no renovar, dependiendo de su estrategia de mercadeo en esta área en particular.

Al momento de invertir en esta propiedad tiene que considerar que posiblemente tenga que buscar un inquilino para remplazar a Walgreens®, si estos decidieran no renovar la opción de contrato.

Los bienes raíces son una gran inversión, pero asegúrese de no ser víctima de la mala información. Verifique con cautela TODOS los contratos de inquilinos y de suplidores.

No permita que el corredor ni el dueño actual lo apresuren para cerrar la transacción. Tómese todo el tiempo que necesite para corroborar los números hasta que se sienta confiado de que su inversión está segura. Desarrolle buenos hábitos de inversión y tendrá mucho éxito.

Peligros Ambientales "evite los mismos"

Las leyes ambientales prohíben la construcción o desarrollos que tengan el potencial de dañar el ambiente. Todas las partes en una transacción de bienes raíces deben consultar con profesionales para evaluar las condiciones ambientales que rodean sus propiedades o propiedades que deseen adquirir.

Esto aplica por igual si se va a construir o si se va a comprar una propiedad existente. Existen muchos tipos de materiales que afectan negativamente el ambiente. Una vez contaminada una propiedad, puede ser muy costoso restaurarla a su estado natural de seguridad.

Los peligros más comunes

Contaminación de aguas soterradas. Ocurre cuando el agua potable se ve afectada por derrames inapropiados de desperdicios tóxicos o derrames de vertederos.

Este tipo de contaminación suele viajar grandes distancias afectando así sus propiedades, aunque estas no estén localizadas en la proximidad del origen del contaminante. Remover o corregir este tipo de contaminación es muy costoso.

Tanques soterrados. Es muy común encontrar derrames de aceite y gasolina de tanques soterrados en propiedades donde existía en algún momento una gasolinera o zona industrial que utilizaba este tipo de combustible.

La detección de estos es muy difícil y la remoción de los mismos es muchas veces inevitable para remediar la situación. Este proceso también resulta muy costoso.

Asbestos. Es un material insulador muy utilizado en construcciones entre 1940 y 1970 debido a su excelente capacidad para aislar fuegos. Sin embargo, se ha vinculado a muchos casos de cáncer en los pulmones. La remoción de estos es muy costosa y absolutamente necesaria.

Desperdicios en vertederos. Los vertederos crean una enorme cantidad de contaminantes para el ambiente. Desde materiales radioactivos hasta sustancias volátiles y desperdicios biológicos.

Es muy común que muchos de los contaminantes en los vertederos ni siquiera han sido identificados debido a que muchas veces se mezclan con otras sustancias.

El gobierno regula la utilización de los mismos, pero es casi imposible monitorearlos. Una investigación detallada es imperativa en estos casos.

Radón. Es un gas natural sin color ni olor creado por la descomposición del uranio dentro de la tierra. Puede penetrar en el interior de los edificios por bien sellados que estén y alcanzar niveles de sumo peligro para la salud.

Se ha vinculado también a casos de cáncer. Este es muy fácil de detectar y se puede corregir de forma relativamente económica reestructurando la ventilación del edificio.

*Pintura de Plomo.*Esta fue muy utilizada antes de 1978, cuando se descubrió que la exposición a la misma podría causar daño cerebral y afectar el sistema nervioso.

Los niños son los más propensos a ser afectados por la misma. Debe removerse por profesionales certificados ya que este trabajo es muy técnico y hacerlo incorrectamente pudiera aumentar el riesgo, debido a su propagación.

Campos electromagnéticos. Las líneas de cables eléctricos que rodean muchas propiedades han sido vinculadas a varios tipos de cáncer.

Es muy controversial ya que no se sabe con certeza cuán extenso son sus daños, pero sí se sabe que es muy dañino. Muchas veces fuera de su control, así que seleccione propiedades que no estén expuestas a las mismas.

El 72% de los compradores pagan más de lo que debieran por no haber utilizado los servicios de un corredor comercial cualificado.

Líneas de electricidad soterradas son la mejor alternativa y no reducirán el valor a su propiedad.

Estos son algunos de los contaminantes principales que encontramos en las propiedades. Existen otros, pero lo importante es conocer que debemos siempre contratar a un profesional de estudios ambientales si deseamos asegurarnos de que estamos efectuando una buena compra.

Estos estudios deben ser una parte esencial del estudio de viabilidad que usted realiza previo a la compra.

Sí, es costoso realizar estos estudios; pero, es más costoso tener que remediar cualquiera de estos problemas una vez usted sea el dueño de la propiedad.

Si usted es el dueño/vendedor, la ley estipula que aún después que la compraventa se haya efectuado, tendrá que responder por los gastos de realizar los mismos. No importa si existe una claúsula de "as is" en su contrato.

Ningún contrato que usted haya logrado que el comprador firme, tendrá validez si alguno de estos peligros ambientales es descubierto en su propiedad.

Aun si el contrato especifica que el comprador se verá obligado a realizar estas correcciones en caso de que las mismas se descubran después de la compraventa.

La ley es muy estricta con relación a estos contaminantes. Pudiera vender la propiedad (con contaminantes) y quedar toda su vida responsable por la remoción de la misma.

Claves al Invertir en Bienes Raíces

No comprar propiedades solo porque sean baratas.
Es mejor invertir en áreas de gran crecimiento, aunque los costos sean más altos. Invierta en propiedades que estén en buenas zonas comerciales. Aunque usted pague el precio de mercado hoy sin descuento alguno, dólar por dólar su inversión le brindará un rendimiento mayor. La inversión que le parece costosa hoy le parecerá una ganga mañana.

Invertir cuando los demás no están invirtiendo.
La historia demuestra una y otra vez que las inversiones en bienes raíces comerciales han ofrecido los mejores rendimientos comparados con los otros tipos de inversiones. Aquellos que tienen la visión y sabiduría de invertir cuando otros están dudosos siempre terminan beneficiándose con grandes ganancias.

Decidir cuándo planifica vender la propiedad
Este factor es muy importante en cuanto al rendimiento que le puede ofrecer su inversión. La misma propiedad al mismo precio de compra, puede tener rendimientos muy diferentes basados en el período de tiempo que usted la va a tener.

En ciertos momentos el rendimiento es mayor cuando usted mantiene la propiedad por mucho tiempo; otras veces, el rendimiento es mayor si la vende en tan solo unos meses después de haberla adquirido.

Invertir en el lugar adecuado
El gran jugador de *hockey*, Wayne Gretzky, decía que los buenos jugadores siempre estaban donde el disco estaba; pero, que los grandes jugadores estaban donde el disco iba a estar. Lo mismo aplica a los bienes raíces comerciales.

Asegúrese de estar donde va a estar el crecimiento. Si llega muy temprano al área o si está un poco fuera de la misma, el crecimiento será notable y usted obtendrá grandes ganancias por su propiedad.

Identifique las áreas de crecimiento por la presencia de grandes cadenas exitosas. Por ejemplo, si existe un Walgreens®, McDonald's®, Wal-Mart®, Auto Zone®, Rent-A-Center®, Costco®, Sam's Club®, Macy's®, Office Max®, Office Depot®, Pep Boys®, Kentucky Fried Chicken®, Popeyes®, Taco Bell®, Pizza Hut®, Domino's Pizza®, Chili's® o Home Depot®, usted está en un área de crecimiento.

Estas compañías al igual que otras no mencionadas, preparan planes de negocios a largo plazo (usualmente 20 años) utilizando estudios de mercado muy confiables.

Conocer el punto de indiferencia

En toda negociación existe un punto donde al cliente ya no le interesa si la transacción ocurre o no. Cuando llegue ese punto, esté preparado para cerrar su maletín e irse. No conocer ese punto puede involucrarlo en una transacción que no será exitosa.

Capitalice en el poder de la Internet

Al momento de invertir, la rapidez con que se puede obtener información en la Internet puede hacer la diferencia entre obtener una gran compra o perder una gran oportunidad.

Existen listados a los que puede suscribirse para que le notifiquen de propiedades disponibles para invertir. No perderá su tiempo buscando propiedades ni evaluando propiedades en las cuales usted no tiene interés alguno.

8

Ética, Integridad, Palabra y Abundancia

"Vive de tal manera que cuando tus hijos, amigos o conocidos piensen en justicia e integridad, piensen en ti".—Anónimo

8

Ética, Integridad, Palabra y Abundancia

La ley de la atracción nos indica que todo aquello que domina nuestro pensamiento eventualmente se materializa. La ley de la abundancia requiere que eliminemos todo pensamiento de escasez para alcanzar un éxito real.

Muchos agentes inmobiliarios piensan en términos de escasez cuando intentan abarcar todos los negocios sin compartir con sus colegas, intentando quedarse con todos los negocios.

Existen personas que hacen todo lo posible para eliminar a otros de transacciones inmobiliarias. Esto es aún más prevaleciente en el corretaje comercial debido a la cantidad mayor de las comisiones que produce la venta de estas.

Conozco agentes inmobiliarios que intentan realizar acercamientos directos a los dueños de propiedades conociendo de antemano que estos están trabajando con otros agentes en contratos abiertos. El hecho de que existan contratos abiertos no es excusa para actuar sin ética.

Aunque utilizar contratos abiertos representa una pobre práctica de corretaje por parte de un agente, no justifica la acción de que otro colega haga un acercamiento directo al dueño de la propiedad, con el fin de adquirir el cliente de su colega.

Este comportamiento representa una mentalidad de escasez y es contraproducente para aquellos que la practican. Actuando de esta manera nunca se alcanzará una abundancia plena, duradera y consistente.

Estos agentes piensan que son más listos que los otros, cuando en realidad están solidificando su mentalidad de pobreza al realizar dichos actos.

Puede que a corto plazo se lucren, pero a largo plazo están cerrando toda posibilidad de abundancia real y la obtención de clientes que le respeten.

Los clientes no son ignorantes. Estos perciben con facilidad los verdaderos motivos detrás de las acciones de las personas con quienes hacen negocios.

Si estos perciben que sus acciones no son honorables para con otros agentes inmobiliarios, de igual manera indicará que usted no es una persona de confianza.

Incluso personas dentro de organizaciones con un código de ética estricto incurren en este comportamiento. Carecen estos de la integridad moral y personal de honrar lo que son buenos y justos negocios, solo para su propio detrimento.

En su libro *La Ciencia de la Mente* el autor Ernest Holmes escribe que: "El pensamiento y la acción positiva tienen el poder de neutralizar el pensamiento y la acción negativa de la misma forma que la luz tiene el poder de eliminar la oscuridad, no luchando contra esta, sino siendo simplemente lo que es, LUZ".

La persona de integridad no tiene que luchar ni combatir con nadie. Todo lo contrario, es la persona que carece de integridad la que siempre está luchando, argumentando y peleando con todos los demás. Por lo que Ernest Holmes sostiene que: "La luz brilla en la oscuridad y la oscuridad ni tan siquiera lo comprende".

SEAMOS ÍNTEGROS

La integridad se compone principalmente de ocho elementos esenciales. Estos son:

1. Honestidad
2. Destrezas de Trabajo
3. Ambición
4. Fe
5. Educación
6. Responsabilidad
7. Caridad
8. Valor

La mezcla de estos elementos resulta en una integridad pura. Todos estos se unen para formar los criterios que deben utilizar las personas en la toma de decisiones y sus acciones. Veamos cómo estas se relacionan entre sí e identifiquemos el significado de las mismas.

Honestidad

Vivir con honestidad significa tomar la decisión de no involucrarse en actividades inmorales o corruptas. Si existe la más mínima posibilidad de que alguna actividad incluya algún elemento cuestionable, la persona íntegra decide no formar parte de la misma, sin importar cuán lucrativa esta pueda resultar.

Destreza de trabajo

Esto significa trabajar utilizando todas nuestras habilidades a su mayor capacidad. Requiere establecer un plan de desarrollo personal y profesional que facilite el mejoramiento continuo de usted como persona.

De esta forma, podrá siempre ofrecer el mayor valor añadido posible para con sus clientes. No obstante, evite llegar a ser fanático u obsesivo con su trabajo.

Simplemente, procure ser un profesional de excelencia. Haga el tipo de trabajo que se espera de todo profesional. Conviértase en un artesano consumado de su industria.

Ambición

Esta es nuestra capacidad de mantenernos enfocados hasta lograr nuestros objetivos. Es perseguir aquello que creemos que vale la pena alcanzar en nuestras vidas.

El logro de nuestros objetivos solidifica nuestro poder de ambición para con otros objetivos más avanzados o que requieren mayores conocimientos, experiencia y disciplina.

La ambición es como una escalera que nos lleva al lugar de nuestros deseos. Cada paso nos acerca al objetivo de nuestra ambición y estos pasos a su vez representan nuestro crecimiento y desarrollo personal.

Fe

Lo primero que tenemos que poseer es fe en nosotros mismos. Es esta creencia la que impulsa el motor de la ambición. Fe es creer en aquello que aún no se ha materializado.

Cuando mayor fe tenemos es cuando hemos desarrollado nuestras destrezas de trabajo y estamos capacitados para lograr nuestros objetivos.

Mientras mayor sea la exposición a personas e ideas de grandeza, mayor será su capacidad para tener fe en sus habilidades. Este tipo de asociación crea capacitación.

También, necesitamos de la fe más grande de todas, la fe en el Todopoderoso que desea y ofrece lo mejor para aquellos que creen en su presencia.

Educación

Mientras mayor sea la educación de la persona, mayor será su capacidad para actuar con integridad en todo momento.

Mientras más conocimientos se adquieran, mayores serán las destrezas y habilidades de la persona para obtener lo que desea sin tener que recurrir a prácticas que carecen de integridad. La mayoría de las personas en las cárceles tienen una educación formal o informal muy limitada, por lo que recurren a medios deshonestos. Lo mismo ocurre en la calle con las demás personas que actúan sin integridad. Al no conocer otras formas de lograr sus objetivos, recurren a prácticas muchas veces cuestionables.

Caridad

Es una actitud que adquirimos cuando entendemos que mientras más damos, más recibimos. Es una actitud de abundancia, no de carencia ni pobreza.

Las personas que tienen una actitud de caridad conocen que las oportunidades en el mercado son ilimitadas y no incurren en prácticas codiciosas. Son estas las que obtienen prosperidad abundante a largo plazo.

Mientras más compartimos con otras personas, mayor es nuestro beneficio; mientras más nos damos para con los demás, más recibimos. Simplemente esto es una ley universal que no podemos ignorar.

Responsabilidad

Si algo anda mal en nuestras vidas, significa que algo anda mal con nosotros mismos. Nuestra capacidad y madurez para entender que esto es así es parte de tener integridad para con nosotros mismos.

Tenemos entonces que identificar las áreas de mejoramiento y darnos a la tarea de subsanarlas. Esto es tomar responsabilidad total por nuestras vidas. La persona íntegra no ofrece excusas por los resultados que obtiene, sino que conoce que estos provienen de sus actitudes, disciplinas, decisiones, acciones y pensamientos ya sean estos a nivel consciente o subconsciente.

Valor

Esta es la capacidad de tomar la decisión correcta, sin importar cuál sea el resultado de la misma. Requiere valor aceptar que hemos cometido errores y enfrentar la realidad cara a cara.

Este valor es el que nos hará maestros de nuestro destino y poseedores de una integridad intachable. Una actitud de valor ofrece luz a problemas que de otra forma aparentan ser oscuros y sin solución. También, nos mantiene enfocados en los objetivos deseados.

Un gran ejecutivo de la compañía Disney & Co.® decía que cuando los valores están claros, la toma de decisiones es fácil. Darse a la tarea de identificar cuáles son los componentes de la integridad que necesitamos mejorar, hará de usted una mejor persona, un mejor ser humano y le brindará mayor éxito en su carrera.

Integridad es una característica que todos buscamos en los demás. Sin embargo, son muy pocos los que se enfocan en el desarrollo de la misma.

La falta de integridad va destruyendo poco a poco la fibra moral de la persona. Las consecuencias siempre se reflejan a largo plazo, aunque van dejando huella a corto plazo.

Esto causa que la persona continúe una práctica de falta de integridad sin notar efectos negativos hasta que ya es muy tarde para dar marcha atrás.

La integridad involucra todo lo relacionado con la palabra. Por ejemplo, cuando establecemos una cita y llegamos tarde a la misma, es nuestra palabra la que se afecta. Muchas personas tratan de encubrirla con razones por la cual llegaron tarde, tales como: tráfico pesado, mal funcionamiento del vehículo, emergencia inesperada, otro compromiso previo que tomó más tiempo de lo planeado, etc.

La integridad no acepta excusas como razón para faltar a la misma, aunque sabemos que ocasionalmente ocurren cosas inesperadas que pudieran afectar nuestra palabra con respecto a compromisos.

Sin embargo, las personas que utilizan estas excusas por lo general lo hacen de forma consistente. Emergencias inesperadas son exactamente eso, emergencias inesperadas.

Cuando estas ocurren con regularidad, debemos reflexionar y contemplar para encontrar la causa real de nuestras acciones. Muchas veces la mejor solución para mejorar nuestra falta de integridad es aprender a decir NO.

Son muchas las veces que decimos SI a actividades o compromisos con los que luego no podemos cumplir de forma íntegra y correcta.

Pensar "todos siempre llegan tarde" no es razón para nosotros llegar tarde. Mejor decir: "no podré llegar a las 4:00pm, pero cuenta conmigo para las 4:45pm". Ya usted sabe que la actividad no comenzará a las 4:00pm de todas formas, así usted no perderá su tiempo ni afectará su integridad.

Sea cauteloso, además, al hablar con los demás. Si usted está conversando con una persona y recibe una llamada telefónica, no le diga a esa persona que le llamará en cinco minutos a menos de que usted esté completamente seguro de que podrá hacer esto exactamente en este tiempo.

Piense antes de comprometerse y a su vez comprometer su integridad. En casos así es mucho mejor solicitarle a la otra persona que le llame a usted. De esta forma, usted no toma esa responsabilidad y puede administrar mejor su tiempo.

El subconsciente opera de forma automatizada. Si usted dice que hará algo y no lo hace se crea una marca en el subconsciente la cual transmite al consciente y le comunica que usted no hizo lo que dijo que iba a hacer.

Al subconsciente no le importa la información que usted le envíe. El subconsciente lo cree todo. El problema estriba en que luego alimenta el consciente con esa información, real o no.

Prestemos más atención a nuestras palabras, conociendo que estas moldean nuestra integridad y muy pronto lograremos identificar situaciones que son muy beneficiosas para nosotros debido al uso correcto de la palabra. Debemos ser lo que esperamos de los demás.

Mensaje Final

Mensaje Final

No es accidente que este libro haya llegado a sus manos. Existe una razón mucho más allá de la lógica. Cuando el Universo siembra una semilla en su mente y su corazón, esto es un mensaje de que usted tiene la capacidad de lograr su objetivo. Luego, comienzan los recordatorios de parte del Todopoderoso.

¿Alguna vez ha decidido adquirir un automóvil? Una vez tomada esta decisión comienza usted a ver este tipo de automóvil en todas partes.

Desde que sale de su casa en la mañana hasta que regresa en la tarde, usted ve más de este tipo de automóvil en un día que lo que jamás había visto en un mes.

Esto se debe a que su mente está enfocada en el objeto de su deseo. Pero para convertirse en el objeto de su deseo, tiene que existir la capacidad dentro de usted para realizarlo.

El Todopoderoso no juega con sus sentimientos. Si Él planta una semilla en su mente, es porque también le brinda la capacidad para lograrlo.

Esto no significa que deje de trabajar para lograr su objetivo. Tal vez necesite dar ciertos pasos antes de obtener el mismo, pero la capacidad para lograrlo la lleva usted por dentro.

No sería extraño que usted recibiera una tarjeta postal de mercadeo con el automóvil que desea. Al visitar un centro comercial puede ser que el único estacionamiento disponible sea al lado de un automóvil idéntico al que usted desea.

Al salir del centro comercial podría detenerse frente a un semáforo de tráfico y encontrarse con alguien que esté distribuyendo folletos, y estos tener como anunciantes a un concesionario de autos que vende el tipo de automóvil que usted desea. Esto no es casualidad.

Puede encender la televisión y ver un anuncio del auto. Abrir el periódico y observar que hay más autos de este tipo que nunca antes. Esto puede parecer muy extraño.

Pudiera revisar su correspondencia y haber recibido un reintegro de algún tipo o un cheque que alguien le debía, por una cantidad suficiente como para poderla ofrecer como pronto pago para efectuar su compra.

Pudiera escuchar por la radio que habrá una venta especial con grandes descuentos del automóvil que desea.

Nada de esto es casualidad; es causalidad. Las cosas pasan porque tienen que pasar. Son mensajes que recibimos como señal de aprobación de que vamos por el camino correcto con respecto a la obtención de nuestra meta.

Aún así muchas veces hay personas que ignoran estos mensajes y luego se lamentan de que no han tenido la oportunidad de adquirir lo deseado.

Mensaje Final

Existe una historia de una persona que todas las noches le imploraba al Señor que le permitiera ganar la lotería. Noche tras noche fielmente esta persona se postraba de rodillas y con mucha fe suplicaba ganarse la lotería.

Al transcurrir muchos años se desesperó y le imploró al Todopoderoso que le diera una explicación de por qué no había intercedido por él para ganarse la lotería. Entonces, el Señor le habla y le contesta: "Todo este tiempo te he escuchado y quiero complacerte, pero por favor haz tu parte, compra el boleto".

Muchas veces lo único que se interpone entre nosotros y nuestro objetivo es *el boleto*. El boleto representa aquello que tenemos que hacer nosotros mismos. Es necesario tener fe; no obstante, esta tiene que ser respaldada por la acción necesaria para materializarla.

Son aquellas personas que siguen su instinto y actúan firmes en su fe las que logran alcanzar éxitos monumentales en su vida consistentemente.

Usted ha tenido la oportunidad de darle un vistazo al mundo del corretaje comercial. Si esto le resulta de agrado, dése a la tarea de comprar su *boleto*; de tomar la acción necesaria para desarrollar una práctica abundante.

Paso a paso y con la ayuda de sus colegas y amistades logrará beneficiarse de una de las industrias más atractivas que existe. La misma le puede brindar todos los recursos económicos que desea a la vez que lo desarrolla como persona y le provee un vasto crecimiento personal y profesional. Buena suerte y comience ahora mismo.

Plan de Ventas Personal

En las siguientes cuatro páginas encontrarás formularios para ayudarte a monitorear tu plan de ventas personal. También, puedes utilizar el mismo formato para darle seguimiento a las ventas de tu empresa.

Plan de Ventas Personal

Enero 20___

Meta ____________________

Actual ____________________

Este año hasta hoy ____________________

Año pasado hasta hoy ____________________

Cambio ____________________

Febrero 20___

Meta ____________________

Actual ____________________

Este año hasta hoy ____________________

Año pasado hasta hoy ____________________

Cambio ____________________

Marzo 20___

Meta ____________________

Actual ____________________

Este año hasta hoy ____________________

Año pasado hasta hoy ____________________

Cambio ____________________

Plan de Ventas Personal

Abril 20___

Meta ____________________

Actual ____________________

Este año hasta hoy ____________________

Año pasado hasta hoy ____________________

Cambio ____________________

Mayo 20___

Meta ____________________

Actual ____________________

Este año hasta hoy ____________________

Año pasado hasta hoy ____________________

Cambio ____________________

Junio 20___

Meta ____________________

Actual ____________________

Este año hasta hoy ____________________

Año pasado hasta hoy ____________________

Cambio ____________________

Plan de Ventas Personal

Julio 20___

Meta ____________________

Actual ____________________

Este año hasta hoy ____________________

Año pasado hasta hoy ____________________

Cambio ____________________

Agosto 20___

Meta ____________________

Actual ____________________

Este año hasta hoy ____________________

Año pasado hasta hoy ____________________

Cambio ____________________

Septiembre 20___

Meta ____________________

Actual ____________________

Este año hasta hoy ____________________

Año pasado hasta hoy ____________________

Cambio ____________________

Plan de Ventas Personal

Octubre 20___

Meta ____________________

Actual ____________________

Este año hasta hoy ____________________

Año pasado hasta hoy ____________________

Cambio ____________________

Noviembre 20___

Meta ____________________

Actual ____________________

Este año hasta hoy ____________________

Año pasado hasta hoy ____________________

Cambio ____________________

Diciembre 20___

Meta ____________________

Actual ____________________

Este año hasta hoy ____________________

Año pasado hasta hoy ____________________

Cambio ____________________

Certificado de Deuda

Encontrarás en esta sección un ejemplo de un *Certificado de Deuda.* Este se utiliza durante el período de estudio y análisis de la propiedad. Muchas veces ocurre que los dueños de propiedades al momento de vender, arriendan espacios a cualquier persona o a conocidos con términos cortos con el fin de que la propiedad aparente estar más ocupada de lo que en realidad está. Esto es una práctica de lo que hay que cuidarse y proteger los intereses del posible comprador, aunque su cliente sea el dueño/vendedor.

Certificado de Deuda
(Estoppel Certificate)

El propósito de este certificado es confirmar el estatus relacionado con el contrato de arrendamiento descrito en esta página. Este *Certificado de Deuda* es para el beneficio del arrendador y como documentación para el banco que ofrece financiamiento sobre la propiedad.

1. Nosotros los arrendatarios confirmamos que existe un Contrato de Arrendamiento entre (Arrendadores) y (Arrendatario) el cual comenzó el (fecha) cubriendo un total de 1,500 pies cuadrados en el centro comercial "Los Mejores Locales", localizado en (dirección)en (ciudad), (país).
2. Los términos según estipulados en el contrato han sido aceptados por nosotros los arrendatarios.
3. El contrato es por un período de 5 años. El contrato expira (fecha).
4. El arrendatario tiene 3 opciones de 5 años cada una en las cuales se puede extender el contrato.
5. El arrendatario expresa que el arrendador no ha cumplido con la siguiente obligación de acuerdo con el contrato de arrendamiento: **reparar el gotereo del techo**.
6. El canon de arrendamiento actual es de $1,350 mensuales. Nosotros los arrendatarios tenemos la renta al día hasta el final del mes en que este certificado es expedido.
7. La cantidad de depósito que hemos pagado al arrendador es de $4,500. La misma es 100% reembolsable al expirar el contrato.
8. No existe otra cantidad de dinero que se haya pagado al arrendador por ningún otro concepto.
9. Nosotros los arrendatarios confirmamos que esta información es correcta a la fecha del documento.

Firmado hoy ____________ de ______________ de 20____.

Firma de Arrendatario ______________________________
Título del Arrendatario ______________________________

Traducción de Términos

En las siguientes dos páginas, encontrarás una lista de términos en inglés comunes en el corretaje comercial y sus traducciones al español.

Inglés	Español
Mortgagee	Acreedor Hipotecario
Purchase Agreement	Acuerdo de Compra
Lock - In Rate	Acuerdo de Tasa de Interés
Amortization	Amortización
Earnest Money	Depósito
Assumability	Asumir
Appraisal	Tasación
Contingency	Contingencia
Assessment	Contribución
Escrow Account	Cuenta Plica
Trust Account	Cuenta de Fideicomiso
Mortgagor	Deudor Hipotecario
Deed of Trust	Escritura en Fideicomiso
Deed	Escritura
Good Faith Estimate	Estimado de Buena Fe
Underwriting	Evaluación de Solicitud
Lien	Gravamen
Tax Lien	Gravamen Tributario
Mortgagee	Hipoteca
Bi-weekly Mortgage	Hipoteca Bisemanal
Survey	Medición deTopografía
Note	Pagaré
Down Payment	Pago Inicial
Amortization Schedule	Tabla de Amortización
Power of Attorney	Poder
Bearer	Portador
Ballon Mortgage	Hipoteca amortizable en su mayor parte al vencimiento

Inglés	**Español**
Lender	Prestamista
Borrower	Prestatario
Fixed Rate	Tasa Fija
Application	Solicitud
Prime Rate	Tasa Preferencial
Appraiser	Tasador
Cap Rate	Tasa de Capitalización
Assets	Activos
Equity	Capital en Propiedad
Open House	Casa Abierta
Origination Fee	Costo de Iniciación
Closing Cost	Gastos de Cierre
Liabilities	Obligaciones
Accountant	Contable
Barter	Permuta
Buyer	Comprador
Seller	Vendedor
Lease	Arrendamiento
Lessee	Arrendatario
Lessor	Arrendador
Meters	Metros
Real Estate	Bienes Raíces
Rent	Alquiler
Waiver	Renunciar
Square Feet	Pies Cuadrados
Square Meters	Metros Cuadrados
Stories	Pisos
Inheritance	Herencia

Recursos Educativos

AI
Appraisal Institute
Página web: www.appraisalinstitute.org
Teléfono: 312-335-4100

La misión de esta organización internacional es apoyar los esfuerzos de sus miembros como los profesionales a escoger al momento de realizar trabajos de avalúo. Este instituto es el líder en designaciones tanto residenciales como comerciales y sus miembros se rigen por un estricto código de ética.

ARES
American Real Estate Society
Página web: www.aresnet.org
Teléfono: 561-779-8594

Esta sociedad está dedicada a la diseminación de conocimientos y estudios sobre el mercado y el comportamiento de los bienes raíces. Esta no es una designación sino una organización dedicada al estudio de todos los aspectos que afectan los bienes raíces como: economía, finanzas, mercadeo, geografía, entre otros.

BOMA
Building Owners & Managers Association International
Página web: www.boma.org
Teléfono: 202-408-2662

La misión de esta organización es mejorar los activos humanos, intelectuales y físicos de la industria de los bienes raíces comerciales. Logran esto a través de educación, estudios, investigación, información y adhiriéndose a unos estándares muy estrictos. También se encargan de promover, abogar y apoyar a la industria dentro de los círculos políticos.

CCIM
Certified Commercial Investment Member
Página web: www.ccim.com
Teléfono: 312-321-4460

El instituto CCIM ofrece una designación comercial afiliada a la NAR (National Association of Realtors). La organización ofrece un programa educativo de excelencia. Los designados se consideran expertos en el campo de inversiones comerciales. La organización ofrece becas educativas.

CRE
The Counselors of Real Estate
Página web: www.cre.org
Teléfono: 312-329-842

Esta es una organización de profesionales dedicados al asesoramiento de clientes de bienes raíces. Este asesoramiento es imparcial ya que la única motivación del agente inmobiliario es ofrecer su consejería y no obtener una comisión de transacción alguna. Esta designación se otorga después de haber obtenido la educación y experiencias requeridas.

ICSC
International Council of Shopping Centers
Página web: www.icsc.org
Teléfono: 646-728-3800

Esta es una asociación con servicios a la industria de centros comerciales para fomentar el profesionalismo en esta industria y establecerse como instituciones principales en todas las comunidades. Auspician estudios económicos y de mercadeo. También fomentan el estudio de las promociones y las condiciones que afectan los centros comerciales.

IREM
Institute of Real Estate Management
Página web: www.irem.org
Teléfono: 800-837-0706

Este instituto es la principal fuente de educación, recursos e información para los profesionales de administración de bienes raíces. Ofrece tres designaciones profesionales (CPM, ARM y AMO). Estas son las más prestigiosas designaciones para profesionales de la administración de bienes raíces.

MBAA
Mortgage Bankers Association of America
Página web: www.mbaa.org
Teléfono: 202-557-2700

Esta es la organización que representa a la industria financiera de bienes raíces. La misma trabaja para fomentar la fortaleza de los mercados residenciales y comerciales de bienes raíces. También enfocan sus esfuerzos en el aumento de personas que son dueños de sus propias casas. Son a su vez la voz de la comunidad inmobiliaria en asuntos legislativos y regulatorios.

NAIOP
National Association of Industrial and Office Properties
Página web: www.naiop.org
Teléfono: 703-904-7100

Esta asociación representa los intereses de los desarrolladores y dueños de propiedades industriales, de oficina y uso mixto. La misma provee socialización y oportunidad de negocios. También provee al profesional un foro de educación continuada y promueve la creación de políticas efectivas que protejan y mejoren el valor de las propiedades en el mercado.

NAR
National Association of Realtors
Página web: www.realtor.org
Teléfono: 805-557-2300

Esta organización promueve el profesionalismo de sus miembros y la oportunidad para los mismos de obtener mayores ingresos. Logran esto a través de programas educativos, muchos de los cuales conllevan la otorgación de designaciones profesionales. La NAR se rige por un código de ética estricto.

NAREIT
National Association of Real Estate Investment Trusts
Página web: www.nareit.com
Teléfono: 202-739-9400

Esta es la organización de los fideicomisos (REIT's) y de todas las compañías públicas de bienes raíces en los Estados Unidos. Los miembros son dueños y administradores de fideicomisos y sindicatos al igual que empresas que se dedican a la consultoría y asesoría de estos. Proveen numerosos programas de educación y servicios a la industria.

SIOR
Society of Industrial and Office Realtors
Página web: www.sior.com
Teléfono: 202-449-8200

Esta organización es la líder en el área comercial de oficinas e industrial. Aquellos que han obtenido esta designación se consideran los más profesionales en el campo comercial corporativo. Los SIOR mantienen un estándar de ética profesional muy riguroso y están entre los profesionales de bienes raíces más respetados.

Tablas de Rentas

Comparto varias tablas de rentas para tu referencia. Utiliza las mismas como guía al momento de calcular el costo mensual o anual de tus clientes con respecto a alquileres de locales comerciales.

Estas tablas cubren desde 1,000 hasta 100,000 pies cuadrados. Combina las cifras de varias tablas para determinar el costo de renta de espacios con diferentes medidas.

Utiliza una calculadora para cálculos exactos basados en el espacio específico que tu cliente desea. Estas tablas te ayudarán a identificar rápidamente una aproximación de pago de parte de tu cliente.

1,000 Pies Cuadrados

Dólares por Pie^2	Renta Anual	Renta Mensual
$10	$10,000	$833
$11	$11,000	$917
$12	$12,000	$1,000
$13	$13,000	$1,083
$14	$14,000	$1,167
$15	$15,000	$1,250
$16	$16,000	$1,333
$17	$17,000	$1,417
$18	$18,000	$1,500
$19	$19,000	$1,583
$20	$20,000	$1,667
$21	$21,000	$1,750
$22	$22,000	$1,833
$23	$23,000	$1,917
$24	$24,000	$2,000
$25	$25,000	$2,083
$26	$26,000	$2,167
$27	$27,000	$2,250
$28	$28,000	$2,333
$29	$29,000	$2,417
$30	$30,000	$2,500
$31	$31,000	$2,583
$32	$32,000	$2,667
$33	$33,000	$2,750
$34	$34,000	$2,833
$35	$35,000	$2,917
$40	$40,000	$3,333
$45	$45,000	$3,750
$50	$50,000	$4,167
$55	$55,000	$4,583
$60	$60,000	$5,000

5,000 Pies Cuadrados

Dólares por Pie²	Renta Anual	Renta Mensual
$10	$50,000	$4,167
$11	$55,000	$4,583
$12	$60,000	$5,000
$13	$65,000	$5,417
$14	$70,000	$5,833
$15	$75,000	$6,250
$16	$80,000	$6,667
$17	$85,000	$7,083
$18	$90,000	$7,500
$19	$95,000	$7,917
$20	$100,000	$8,333
$21	$105,000	$8,750
$22	$110,000	$9,167
$23	$115,000	$9,583
$24	$120,000	$10,000
$25	$125,000	$10,417
$26	$130,000	$10,833
$27	$135,000	$11,250
$28	$140,000	$11,667
$29	$145,000	$12,083
$30	$150,000	$12,500
$31	$155,000	$12,917
$32	$160,000	$13,333
$33	$165,000	$13,750
$34	$170,000	$14,167
$35	$175,000	$14,583
$40	$200,000	$16,667
$45	$225,000	$18,750
$50	$250,000	$20,833
$55	$275,000	$22,917
$60	$300,000	$25,000

10,000 Pies Cuadrados

Dólares por Pie²	Renta Anual	Renta Mensual
$10	$100,000	$8,333
$11	$110,000	$9,167
$12	$120,000	$10,000
$13	$130,000	$10,833
$14	$140,000	$11,667
$15	$150,000	$12,500
$16	$160,000	$13,333
$17	$170,000	$14,167
$18	$180,000	$15,000
$19	$190,000	$15,833
$20	$200,000	$16,667
$21	$210,000	$17,500
$22	$220,000	$18,333
$23	$230,000	$19,167
$24	$240,000	$20,000
$25	$250,000	$20,833
$26	$260,000	$21,667
$27	$270,000	$22,500
$28	$280,000	$23,333
$29	$290,000	$24,167
$30	$300,000	$25,000
$31	$310,000	$25,833
$32	$320,000	$26,667
$33	$330,000	$27,500
$34	$340,000	$28,333
$35	$350,000	$29,167
$40	$400,000	$33,333
$45	$450,000	$37,500
$50	$500,000	$41,667
$55	$550,000	$45,833
$60	$600,000	$50,000

15,000 Pies Cuadrados

Dólares por Pie²	Renta Anual	Renta Mensual
$10	$150,000	$12,500
$11	$165,000	$13,750
$12	$180,000	$15,000
$13	$195,000	$16,250
$14	$210,000	$17,500
$15	$225,000	$18,750
$16	$240,000	$20,000
$17	$255,000	$21,250
$18	$270,000	$22,500
$19	$285,000	$23,750
$20	$300,000	$25,000
$21	$315,000	$26,250
$22	$330,000	$27,500
$23	$345,000	$28,750
$24	$360,000	$30,000
$25	$375,000	$31,250
$26	$390,000	$32,500
$27	$405,000	$33,750
$28	$420,000	$35,000
$29	$435,000	$36,250
$30	$450,000	$37,500
$31	$465,000	$38,750
$32	$480,000	$40,000
$33	$495,000	$41,250
$34	$510,000	$42,500
$35	$525,000	$43,750
$40	$600,000	$50,000
$45	$675,000	$56,250
$50	$750,000	$62,500
$55	$825,000	$68,750
$60	$900,000	$75,000

20,000 Pies Cuadrados

Dólares por Pie²	Renta Anual	Renta Mensual
$10	$200,000	$16,667
$11	$220,000	$18,333
$12	$240,000	$20,000
$13	$260,000	$21,667
$14	$280,000	$23,333
$15	$300,000	$25,000
$16	$320,000	$26,667
$17	$340,000	$28,333
$18	$360,000	$30,000
$19	$380,000	$31,667
$20	$400,000	$33,333
$21	$420,000	$35,000
$22	$440,000	$36,667
$23	$460,000	$38,333
$24	$480,000	$40,000
$25	$500,000	$41,667
$26	$520,000	$43,333
$27	$540,000	$45,000
$28	$560,000	$46,667
$29	$580,000	$48,333
$30	$600,000	$50,000
$31	$620,000	$51,667
$32	$640,000	$53,333
$33	$660,000	$55,000
$34	$680,000	$56,667
$35	$700,000	$58,333
$40	$800,000	$66,667
$45	$900,000	$75,000
$50	$1,000,000	$83,333
$55	$1,100,000	$91,667
$60	$1,200,000	$100,000

30,000 Pies Cuadrados

Dólares por Pie²	Renta Anual	Renta Mensual
$10	$300,000	$25,000
$11	$330,000	$27,500
$12	$360,000	$30,000
$13	$390,000	$32,500
$14	$420,000	$35,000
$15	$450,000	$37,500
$16	$480,000	$40,000
$17	$510,000	$42,500
$18	$540,000	$45,000
$19	$570,000	$47,500
$20	$600,000	$50,000
$21	$630,000	$52,500
$22	$660,000	$55,000
$23	$690,000	$57,500
$24	$720,000	$60,000
$25	$750,000	$62,500
$26	$780,000	$65,000
$27	$810,000	$67,500
$28	$840,000	$70,000
$29	$870,000	$72,500
$30	$900,000	$75,000
$31	$930,000	$77,500
$32	$960,000	$80,000
$33	$990,000	$82,500
$34	$1,020,000	$85,000
$35	$1,050,000	$87,500
$40	$1,200,000	$100,000
$45	$1,350,000	$112,500
$50	$1,500,000	$125,000
$55	$1,650,000	$137,500
$60	$1,800,000	$150,000

40,000 Pies Cuadrados

Dólares por Pie^2	Renta Anual	Renta Mensual
$10	$400,000	$33,333
$11	$440,000	$36,667
$12	$480,000	$40,000
$13	$520,000	$43,333
$14	$560,000	$46,667
$15	$600,000	$50,000
$16	$640,000	$53,333
$17	$680,000	$56,667
$18	$720,000	$60,000
$19	$760,000	$63,333
$20	$800,000	$66,667
$21	$840,000	$70,000
$22	$880,000	$73,333
$23	$920,000	$76,667
$24	$960,000	$80,000
$25	$1,000,000	$83,333
$26	$1,040,000	$86,667
$27	$1,080,000	$90,000
$28	$1,120,000	$93,333
$29	$1,160,000	$96,667
$30	$1,200,000	$100,000
$31	$1,240,000	$103,333
$32	$1,280,000	$106,667
$33	$1,320,000	$110,000
$34	$1,360,000	$113,333
$35	$1,400,000	$116,667
$40	$1,600,000	$133,333
$45	$1,800,000	$150,000
$50	$2,000,000	$166,667
$55	$2,200,000	$183,333
$60	$2,400,000	$200,000

50,000 Pies Cuadrados

Dólares por Pie²	Renta Anual	Renta Mensual
$10	$500,000	$41,667
$11	$550,000	$45,833
$12	$600,000	$50,000
$13	$650,000	$54,167
$14	$700,000	$58,333
$15	$750,000	$62,500
$16	$800,000	$66,667
$17	$850,000	$70,833
$18	$900,000	$75,000
$19	$950,000	$79,167
$20	$1,000,000	$83,333
$21	$1,050,000	$87,500
$22	$1,100,000	$91,667
$23	$1,150,000	$95,833
$24	$1,200,000	$100,000
$25	$1,250,000	$104,167
$26	$1,300,000	$108,333
$27	$1,350,000	$112,500
$28	$1,400,000	$116,667
$29	$1,450,000	$120,833
$30	$1,500,000	$125,000
$31	$1,550,000	$129,167
$32	$1,600,000	$133,333
$33	$1,650,000	$137,500
$34	$1,700,000	$141,667
$35	$1,750,000	$145,833
$40	$2,000,000	$166,667
$45	$2,250,000	$187,500
$50	$2,500,000	$208,333
$55	$2,750,000	$229,167
$60	$3,000,000	$250,000

100,000 Pies Cuadrados

Dólares por Pie²	Renta Anual	Renta Mensual
$10	$1,000,000	$83,333
$11	$1,100,000	$91,667
$12	$1,200,000	$100,000
$13	$1,300,000	$108,333
$14	$1,400,000	$116,667
$15	$1,500,000	$125,000
$16	$1,600,000	$133,333
$17	$1,700,000	$141,667
$18	$1,800,000	$150,000
$19	$1,900,000	$158,333
$20	$2,000,000	$166,667
$21	$2,100,000	$175,000
$22	$2,200,000	$183,333
$23	$2,300,000	$191,667
$24	$2,400,000	$200,000
$25	$2,500,000	$208,333
$26	$2,600,000	$216,667
$27	$2,700,000	$225,000
$28	$2,800,000	$233,333
$29	$2,900,000	$241,667
$30	$3,000,000	$250,000
$31	$3,100,000	$258,333
$32	$3,200,000	$266,667
$33	$3,300,000	$275,000
$34	$3,400,000	$283,333
$35	$3,500,000	$291,667
$40	$4,000,000	$333,333
$45	$4,500,000	$375,000
$50	$5,000,000	$416,667
$55	$5,500,000	$458,333
$60	$6,000,000	$500,000

Espacios Promedios de Compañías

Comparto una lista de compañías y el espacio promedio que necesitan para establecerse. Es importante conocer estos parámetros para desempeñarse eficientemente en el campo comercial.

Es muy común que algunos colegas obtengan contratos de listado y le comuniquen a sus compañeros que la propiedad es perfecta para determinado negocio sin conocer el espacio requerido de la misma.

Evita caer en esta situación conociendo cuáles son los requisitos reales. Conoce también que frecuentemente las compañías cambian su estrategia y estos promedios podrían variar. De todas maneras, la siguiente lista es una excelente fuente de referencia.

Nombre de la Compañía	Pies Cuadrados
7-Eleven®	1,500
Advance Auto Parts®	7,000
Applebee's®	5,000
Arby's®	3,250
Baskin Robbins®	1,000
Best Buys®	30,000
Boston Market®	3,350
Burger King®	4,000
Camille's Sidewalk Café®	2,000
Caribbean Cinemas®	45,000
Chili's®	5,500
Church's®	1,750
Circuit City®	20,500
Coffee Beanery®	700
Costco®	141,000
CVS Pharmacy®	10,250
Dollar General®	9,000
Domino's Pizza®	1,100
Dunkin' Donuts®	2,000
Family Dollar Store®	9,180
Fast Signs®	1,900
Flamer's®	1,000
Friendly's®	3,545
Hollywood Video®	7,500
Home Depot®	130,000
International House of Pancakes®	5,000

Espacios Promedios de Compañías

Nombre de la Compañía	Pies Cuadrados
Kentucky Fried Chicken®	3,000
Krispy Kreme®	1,300
Little Caesar's Pizza®	6,000
Lowe's®	115,000
Macaroni Grill®	6,500
McDonald's®	5,500
Office Max®	18,000
Panda Express®	2,000
Panera Bread®	4,500
Papa John's®	1,350
Pep Boys®	22,500
Perkins®	5,000
Pizza Hut®	4,053
Pollo Tropical®	3,000
Popeyes®	1,850
Quiznos Sub®	1,500
Radio Shack®	2,000
Sam's Club®	120,000
Sherwin Williams®	6,000
Starbucks®	1,750
Subway®	1,500
Taco Bell®	2,447
Taco Maker®	1,250
Target®	150,000
Walgreens®	15,000
Wal-Mart®	108,000
Wendy's®	3,000

Conversión de Medidas

Equivalencias de Medidas de Superficie

1 Acre

43,560 Pies Cuadrados
4,840 Yardas Cuadradas
4,046.5642 Metros Cuadrados
1.0296 Cuerdas

1 Área

1,076.391 Pies Cuadrados
119.599 Yardas Cuadradas
100 Metros Cuadrados
.02544 Cuerdas
.02471105 Acre

1 Cuerda

42,306.79 Pies Cuadrados
4,700.7543 Yardas Cuadradas
3,930.3966 Metros Cuadrados
.9712 Acre

1 Hectárea

15,500,031 Pulgadas Cuadradas
107,600 Pies Cuadrados
11,959.9 Yardas Cuadradas
10,000 Metros Cuadrados
2.5446 Cuerdas
2.471054 Acres

1 Kilómetro Cuadrado
- 254.42 Cuerdas
- 247.1054 Acres

1 Metro Cuadrado
- 1,550.003 Pulgadas Cuadradas
- 10.76391 Pies Cuadrados
- 1.195990 Yardas Cuadradas
- .000254 Cuerda
- .000247105 Acre

1 Milla Cuadrada
- 658.944 Cuerdas Cuadradas
- 640 Acres

1 Pie Cuadrado
- 144 Pulgadas Cuadradas
- .1111 Yardas Cuadradas
- .09290304 Metros Cuadrados

1 "Township"
- 93,240 Metros Cuadrados
- 36 Millas Cuadradas

1 Yarda
- 1,296 Pulgadas Cuadradas
- 9 Pies Cuadrados
- .83612736 Metros Cuadrados

Equivalencias de Medidas Lineales

1 Cable
- 8,640 Pulgadas
- 720 Pies

1 Hectómetro
- 328.083 Pies
- 109.36 Yardas
- 100 Metros
- .06250 Millas

1 Kilómetro
- 3,280.840 Pies
- 1,093.613 Yardas
- 1,000 Metros
- .62137119 Milla

1 Legua
- 3 Millas

1 Mano
- 4 Pulgadas

1 Metro
- 39.37008 Pulgadas
- 3.280840 Pies
- 1.093613 Yardas
- 100 Centímetros

Conversión de Medidas

1 Milla

5,280 Pies

1,760 Yardas

1,609.344 Metros

1 Pie

12 Pulgadas

.3333 Yardas

30.48 Centímetros

.3048 Metros

1 Vara Castellana

32.32 Pulgadas

2.69333 Pies

.89778 Yardas

82.09280 Centímetros

.82093 Metros

1 Vara Conuquera

98.75 Pulgadas

8.23 Pies

2.74333 Yardas

250.85040 Centímetros

2.50850 Metros

1 Yarda

36 Pulgadas

3 Pies

91.44 Centímetros

.91440 Metros

Glosario

Glosario

Abandono. El acto de renunciar a la posesión de una propiedad sin ceder la propiedad a otra persona.

Absorción. Cantidad de unidades o espacio que se vende o alquila en un período determinado de tiempo. La fórmula es "unidades disponibles al final del período menos unidades disponibles al principio del período". El período más común utilizado es un año.

Accesión. Adición a la tierra de forma natural o a través de la mano del hombre.

Aceleración. Estipulación en un préstamo que otorga el derecho a demandar pago de saldo completo.

Acervo. La totalidad de bienes comunes o indivisos.

Acuerdo de voluntades. Se dice de cuando todas las partes llegan a un acuerdo.

Acre. Unidad de medida para terrenos, utilizada mayormente en los Estados Unidos. Equivale a 4,046.85 metros cuadrados o 4,840 yardas cuadradas o 43,560 pies cuadrados.

Acreedor. Aquel a quien se le debe dinero.

Acreedor hipotecario. El prestamista que recibe el pago de hipoteca. El prestatario. El banco.

Activo. Recurso que se controla como resultado de eventos anteriores y de los cuales se espera obtener beneficios económicos en el futuro. Incluye bienes muebles, inmuebles y otro tipo de propiedad y derechos tangibles o intangibles.

Ad Corpus. Se dice de la venta de un bien inmueble que puede hacerse sin indicación de su localización y por un precio determinado.

Ad Valorem. Se dice de algo que está basado en valor; un ejemplo son los impuestos sobre la propiedad.

Administrador de bienes raíces. Designación profesional para administradores de propiedades.

Adyacente. Propiedad que colinda; tocar.

Agente. Representante autorizado del dueño o principal; corredor; vendedor.

Agregación. Vea agrupación.

Agrimensura. Sistema de medir los terrenos y sus colindancias.

Agrupación. El acto de combinar dos o más terrenos.

Airea. Instituto Americano de Valuadores de Bienes Raíces.

Albacea testamentario. Persona nombrada para satisfacer la disposición original del caudal del difunto según documentado en el testamento.

Alquiler del terreno. Renta pagada por la ocupación de un terreno con o sin mejoras.

Aluvión. El aumento del tamaño de un solar por concepto del depósito gradual de tierras transportadas por agua.

Amenidades. Algo extra. En la administración de bienes raíces incluye facilidades y beneficios que normalmente no están incluidos en la renta, pero que ofrecen valor añadido al arrendatario. En la venta de bienes raíces puede ser cualquier cosa que haga de la venta una más atractiva tal como una piscina, un baño de sauna, un gazebo, entre otros.

Amortización. La liquidación de una deuda en pagos iguales.

Amortización negativa. Ocurre cuando el pago de un préstamo no cubre la cantidad que se debe y la acumulación de intereses aumenta el balance adeudado.

Amortizar. Pagos periódicos que liquidan la deuda en un término de tiempo determinado.

Análisis. El proceso de recopilar información para llegar a conclusiones y efectuar recomendaciones.

Anexo. Un documento añadido a otro y hecho parte del mismo. Se convierte en parte del documento original.

Año fiscal. Concepto de contabilidad el cual establece el año operativo de un negocio.

Anualidad. Pagos periódicos recibidos, por lo general de cantidades iguales.

Anulable. Contrato con defectos ocultos o latentes, aunque parezca válido y ejecutable.

Anulación. La cancelación de un préstamo hipotecario al refinanciar una unidad principal de vivienda.

Apalancamiento. Hacer más con menos. Esta es la función de los préstamos hipotecarios. Usted aporta una pequeña cantidad de dinero y el banco aporta una cantidad mucho mayor. Sin embargo, usted es dueño del 100% de la propiedad. El apalancamiento aumenta el rendimiento en la inversión.

Apeo y Deslinde. El derecho de un propietario a medir, delimitar y cercar su propiedad.

APR. (Siglas en inglés) Tasa de porcentaje anual. El costo total anual expresado como porcentaje.

Apreciación. El aumento en valor de una propiedad.

ARM. Administrador residente acreditado (IREM); tasa de interés ajustable.

ARM. Hipoteca con tasa de interés ajustable.

ARM Convertible. ARM con la opción de conversión a préstamo con tasa de interés fija.

Arras. Un depósito de buena fe de parte del posible comprador para con el dueño/vendedor.

Arrendador. El dueño de una propiedad rentada; alquilador.

Arrendamiento. Concesión de una propiedad bajo contrato de renta por un término determinado.

Arrendamiento a largo plazo. Contrato de un año o más.

Arrendamiento bruto. El inquilino paga solamente una renta fija determinada y el arrendador paga todos los gastos operacionales y de mantenimiento.

Arrendamiento con opción a compra. Ofrece al inquilino la oportunidad de adquirir la propiedad en un período de tiempo establecido por ambas partes.

Arrendamiento graduado. Provee para el aumento paulatino del canon de arrendamiento a ciertos intervalos.

Arrendamiento neto (N). El inquilino paga la renta base y las utilidades. El arrendador paga el mantenimiento, los impuestos y el seguro. La interpretación de este arreglo puede variar dependiendo el mercado.

Arrendamiento doble neto (NN). El inquilino paga la renta base, los impuestos y el seguro. El arrendador paga el mantenimiento. La interpretación de este arreglo puede variar dependiendo el mercado.

Arrendamiento triple neto (NNN). El inquilino paga la renta base, las utilidades, los impuestos, el seguro y el mantenimiento. A veces no paga por la seguridad de la propiedad. La interpretación de este arreglo puede variar dependiendo el mercado.

Arrendamiento absolutamente neto. El inquilino paga la renta base y todos los gastos. El arrendador no paga gasto alguno.

Arrendamiento neto de tierra. El inquilino construye las mejoras, paga por el mantenimiento, seguros e impuestos.

Arrendamiento por porcentaje de negocio. La renta se basa sobre las ventas del negocio del inquilino; usualmente provee una renta mínima. La interpretación de este arreglo puede variar dependiendo el mercado.

Arrendamiento sujeto a un indicador. Atado a un indicador económico tal como inflación.

Arrendatario. Inquilino.

Asentamiento. Condición de hundimiento de un suelo. Por lo general es causado por compactación inadecuada o licuefacción del terreno.

Asociación Nacional de Corredores (NAR). Principal asociación de la industria de bienes raíces en los Estados Unidos y a nivel internacional.

Asociación Nacional Hipotecaria Federal (Fannie Mae). Agencia de mercado secundario hipotecario para inmobiliarios.

Asunción. La transferencia de las obligaciones del préstamo de una persona a otra. Tiene que ser permitido por el documento original y aprobado por el prestamista.

AU. Sistema automático de verificación de solicitud de préstamos. Este es realizado desde la oficina del prestatario a través de un sistema de computadora. El programa de computadora utiliza como criterios de cualificación requisitos del mercado secundario. No existe ningún tipo de influencia humana en la decisión final. El programa de computadora aprueba o no aprueba. Este tipo de sistema es comúnmente utilizado en el mercado "subprime".

Aval. Garantía total o parcial de pago prestada por un tercero, que se obliga con el deudor en caso de que este no lo realice.

Avalista. Persona que otorga el aval. El que determina el valor de una propiedad para fines del sistema tributario.

Avalúo. Estimado de valor.

Avulsión. Pérdida de tierras por la acción del agua; erosión.

Baldío. Se dice de terrenos que no son objeto de cultivo.

Bancarrota. Persona, empresa o corporación liberada del pago de sus deudas tras ceder los activos a un síndico nombrado por la corte.

Banco. Prestamistas hipotecarios.

Base. Precio pagado por una propiedad. Se utiliza para calcular los impuestos.

Base ajustada. Es equivalente a la base original más el costo de mejoras capitales menos la depreciación acumulada.

Bien ilíquido. Un bien que es difícil de vender a corto plazo. Los bienes inmuebles son ilíquidos.

Bien real. Bienes raíces.

Bienes. Propiedad que tiene valor.

Bienes gananciales. Los bienes acumulados entre esposo y esposa durante su matrimonio.

Bienes mostrencos. Se dice de los bienes muebles abandonados y perdidos cuyo propietario se desconoce.

Bienes muebles. Artículos de propiedad personal cuya vida útil es de más de un año y son susceptibles a ser trasladados sin que se altere ni su forma ni su esencia. Ejemplos lo son: mobiliario, maquinarias, automóviles, equipos de oficina, etc.

Bienes raíces. Terrenos, mejoras físicas y derecho de pertenencia o de utilización.

Bienes vacantes. Se dice de los bienes inmuebles cuyo propietario se desconoce.

Bloqueo de la Tasa de Interés. El bloqueo de la tasa de interés para garantizar un porcentaje específico. Se otorga por un tiempo determinado.

BOMA. Por sus siglas en inglés. Asociación de Dueños y Administradores de Edificios.

Bonafide. Actuar de buena fe.

Canvassing. Técnica de agentes de bienes raíces de visitar un vecindario puerta por puerta para ofrecer sus servicios y obtener futuros clientes.

Capitalizar. Convertir activos en valor actual.

Carta lapidaria. Documento que indica el "status" contributivo de una propiedad. Su valor, exoneración y deuda si alguna.

Catastro. Censo estadístico de fincas rústica y urbanas.

Caveat emptor. A riesgo del comprador. El comprador compra bajo su propio riesgo.

Ceder. Traspasar derechos a otra persona o entidad.

Censo. Lista bajo la cual se clasifican cosas.

Certificado de notario. Declaración jurada por un individuo que confirma la veracidad de un documento el cual fue firmado por él.

Certificado de saldo. Documento que verifica la responsabilidad de un prestatario o arrendatario.

Certificado de título. Verifica la pertenencia de una propiedad.

Cesionario. El que compra una propiedad.

Cesionista. El que vende una propiedad.

Cierre. Una reunión para finalizar una transacción de bienes raíces. Se firman todos los documentos y se pagan los gastos relacionados con la transacción.

Cláusula de contingencia. Expresa condiciones para la culminación de un contrato.

Cláusula de opción. Confiere el derecho a comprar o arrendar una propiedad en tiempo futuro a un precio determinado.

CLHMS. (Siglas en inglés). Certificación de Especialista en Mercadeo de Residencias de Lujo.

CLO. Creación de Préstamos por Computadora. Una red autorizada por HUD (Housing and Urban Development)para iniciar solicitudes de préstamos hipotecarios por computadora de las propias oficinas del agente.

Código de Ética. Una regulación por escrito de las conductas a ser adoptadas por miembros de la NAR.

COFI. Índice de costo de los fondos comúnmente utilizado en los préstamos con tasa de interés ajustable.

Colateral. Bienes utilizados por un individuo para garantizar el pago de una deuda.

Colindancia. Adyacente; tocar; límites de una propiedad.

Comisión. Cantidad de dinero cobrada por el corredor de bienes raíces como tarifa por sus servicios. Usualmente expresada en forma porcentual.

Comodato. Contrato por el cual uno de los contratantes se obliga a conceder gratuitamente el uso de una cosa no consumible y el otro se obliga a restituirla individualmente. En los bienes raíces, se considera comodante al que otorga el préstamo y comodatario al que lo recibe. Al ocurrir un intercambio de dinero se convierte el contrato en compraventa o arrendamiento.

Como está (as is). Se dice de una propiedad que se vende con las condiciones existentes ya sean estas visibles o no visibles; sin garantía ninguna.

Comparables. Propiedades semejantes a la sujeta que se han vendido recientemente.

Compraventa Ad Corpus. Compraventa que se hace de la totalidad de la cosa y con precio determinado, sin consideración alguna por sus partes ni sus medidas.

Compraventa Ad Mesuram. Compraventa que se efectúa fijando un precio por unidad o medida.

Condenación. La toma legal por parte del gobierno de una propiedad bajo el derecho eminente.

Condominio. Una forma de posesión de propiedad inmueble donde el titular comparte responsabilidades con otros titulares.

Consideración. Algo de valor que se ofrece para persuadir a otra persona a entrar en un contrato.

Contingencia. Cláusula que establece las condiciones que deben cumplirse para validar un contrato.

Contra Oferta. La respuesta a otro oferta ya hecha. Por lo general estipula condiciones de precio y términos.

Contrato. Documento legal; debe cumplir o no con algo específico. Obliga a una o varias de las partes.

Contrato abierto de listado. Contrato que no le concede al corredor o vendedor un derecho exclusivo de venta.

Contrato exclusivo de listado. Contrato que le concede al corredor o vendedor el derecho exclusive de venta.

Contrato neto de listado. Contrato en el que la comisión es la diferencia entre el precio de venta y el precio mínimo determinado por el dueño de la propiedad.

Contrato semi-exclusivo de listado. Contrato en el que el dueño se reserva el derecho de vender la propiedad sin una obligación por su parte de pagar comisión al corredor o vendedor.

Control de renta. Restricciones impuestas por el gobierno sobre la cantidad de renta que el arrendador puede cobrar. Generalmente aplica a propiedades con subsidios o áreas específicas en zonas metropolitanas.

Contumacia. Incumplimiento de un deber que ha surgido bajo un contrato.

Convenio. Acuerdo que estipula hacer o no hacer algo. En bienes raíces se utilizan convenios en escrituras los cuales estipulan los usos permitidos y los prohibidos en una propiedad. También existen convenios entre las personas.

Corporación Federal Aseguradora de Depósitos. Agencia federal aseguradora de depósitos bancarios.

Corporación Federal de Préstamos Hipotecarios para Vivienda (Freddie Mac). Provee mercado secundario hipotecario para préstamos agrícolas.

Corredor de Bienes Raíces. Profesional que actúa como intermediario mediante pago entre las partes para efectuar una transacción inmobiliaria.

Corretaje. El acto por el cual vendedores y compradores entran en contacto para la realización de transacciones de ventas o arrendamiento a cambio de una comisión o tarifa.

CPI. Índice de precio al consumidor

CPM. Administrador de propiedad certificado

CMA. Análisis del Mercado Competitivo. Método de estimar el valor de una propiedad basado en precios de venta de otras propiedades, precios de listado de propiedades actuales y precios de listado de propiedades que no se vendieron.

Crédito sobre los impuestos de inversión. Crédito aplicable dólar por dólar contra impuestos sobre inversión.

CRS. Certificación de Especialista en Bienes Raíces Residenciales. Parte de las designaciones dentro de la NAR.

Cuenta en fideicomiso. Cuenta bancaria mantenida en una cuenta plica para manejar dinero cobrado por clientes.

Cul de Sac. Calle sin salida. Generalmente es circular al final de la calle. Provee mayor privacidad.

Cuota de reinversión. Penalidad de prepago.

Cumplimiento. Documento que reconoce el saldo de una deuda. El mismo debe estar por escrito.

Dación en pago. Cuando el deudor entrega al acreedor algo diferente a lo pautado. Por ejemplo: entregar una propiedad al banco por no pagarla en vez de pagar el préstamo otorgado para adquirir la misma. La dación en pago resulta en el saldo de la deuda. La dación en pago tiene que ser aceptada por el acreedor para ser válida. Si este no la acepta, la deuda continúa.

Defecto de título. Discrepancia entre la situación actual y la documentación que aparece en el Registro de la Propiedad.

Densidad. Promedio de habitantes y viviendas en un área determinada. La zonificación determina la densidad.

Depreciación. Pérdida en valor; deterioración, desuso; deducción permitida por ley.

Derecho aéreo. El derecho a utilizar el espacio aéreo sobre la superficie de un terrero o edificio.

Derecho de paso. Vea servidumbre.

Derecho de supervivencia. Derecho del condueño de una propiedad sobre la otra mitad del otro condueño difunto.

Derechos de ribera. Los derechos de un propietario sobre la tierra próxima a cuerpos de agua. Los derechos incluyen el acceso y el uso del agua. No todos los países ofrecen estos derechos. A veces, estos pertenecen al gobierno.

Desahucio. El recobro legal de un arrendador de sus bienes inmuebles que estaban en posesión de otro. Desalojar al inquilino. Usualmente por incumplimiento de contrato.

Desalojar. Desahuciar. Quitar el local rentado al inquilino.

Desarrollador. Persona o empresa que por sus conocimientos, capacidad financiera y técnica, establece un equipo de trabajo para proyectos residenciales o comerciales que preveen una absorción por el mercado que les provee una tasa de rendimiento interno rentable.

Descendencia. Cuando el difunto no deja testamento, su caudal desciende a sus herederos.

Desocupación física. Espacio que está deshabitado en una propiedad. Se expresa de forma porcentual.

Desocupación económica. Cantidad de ingresos que deja de producir una propiedad debido a que sus rentas están por debajo del mercado. Una propiedad puede estar 100% ocupada y aun así tener una desocupación económica de 20%.

Desvalorización. Pérdida de valor con el paso del tiempo. Puede ser causado por uso descontinuado, desgaste, obsolescencia, cambio de costumbres, avances tecnológicos y desastres naturales.

Dictamen. Vea sentencia.

Discriminación. El acto de negarle un préstamo hipotecario o alquiler a un individuo debido a su edad, raza, color, religión, sexo, composición familiar, impedimento u origen nacional.

Divulgación. Afirmación de un hecho. Revelar algo que anteriormente era confidencial.

Desalojo. El acto de privar a una persona o entidad de utilizar un espacio previamente ocupado.

Descripción legal. Reconocida por la ley como la forma de localizar e identificar la propiedad.

Dominio absoluto de propiedad. Bienes que son poseídos por vida.

Dominio absoluto revocable. Posesión absoluta que puede ser revocable bajo ciertas condiciones.

Dominio eminente. Derecho del gobierno de apoderarse de propiedades personales privadas para uso público.

Dominio limitado a herederos. Herederos específicamente nombrados heredarán el caudal. Si el heredero no está disponible, el caudal se revierte al concedente o a sus herederos.

Dominio vitalicio. Derecho al título por la vida de la persona.

Donación. La transferencia gratuita de bienes de una persona a otra. Debe ser estipulado por escrito.

Donación onerosa. Cuando se le impone al donatario un gravamen sobre la donación recibida.

Donador. El que concede la propiedad; otorga el beneficio.

Donatario. El que adquiere la propiedad; recibe el beneficio.

Drenaje. Capacidad de la tierra de retirar agua de la superficie evitando inundaciones. Sistema superficial de desagüe.

ECOA. Vea Equal Credit Opportunity Act.

Efectivo sobre efectivo (Cash on Cash). El flujo de efectivo que produce una propiedad después de cubrir sus pagos de hipoteca dividido por la aportación inicial del comprador.

Egreso. Concerniente al derecho de otro a salir de una tierra pública o privada. Lo opuesto a "ingreso" (entrada).

Ejecución hipotecaria. El acto de tomar posesión de la propiedad hipotecada para satisfacer una deuda.

Ejido. Tierras entregadas por el gobierno a los agricultores para cultivarlas y mejorar su situación económica.

El tiempo es de esencia. Frase que significa que los límites establecidos en el contrato deben ser observados puntualmente.

Elementos comunes. Las partes de un condominio donde los propietarios tienen interés por igual.

Elementos comunes limitados. Las partes de un condominio donde los propietarios tienen uso limitado; por ejemplo, pasillos de un piso en particular, elevadores para ciertos niveles, áreas de estacionamiento.

Elevación. Con respecto a planos de propiedad, la vista que muestra la perpendicularidad vertical.

Emancipación. El acto de liberar legalmente a un hijo del control de los padres.

Embargado. La persona, personas o entidad legal que está sujeto a un gravamen.

Embargador. La persona o entidad legal que está en posesión del gravamen.

Embargo. El acto de arrestar o confiscar personas o propiedades bajo orden judicial.

Enajenación. Transmitir título. Venta.

Enajenación de título. Cambio de pertenencia.

Entrada a una propiedad. El derecho que posee una persona a entrar y salir a una propiedad a través de una servidumbre sin tener el derecho a estacionarse.

EPA. Agencia de Protección Ambiental

Equal Credit Opportunity Act. Ley federal estadounidense que prohíbe el negar crédito hipotecario debido a la raza, religión, sexo, estado civil, edad, incapacidad u origen nacional del individuo.

Equidad. Valor de mercado menos la deuda de una propiedad.

Erosión. Desgaste natural de la tierra; por agua, viento o alguna otra forma no creada por el hombre.

Escritura. Documento escrito que documenta, otorga y transfiere título de propiedad.

Escritura matriz. La escritura que describe todos los detalles y descripciones de la propiedad en condominios y desarrollos residenciales. De esta surgen todas las demás.

Exoneración contributiva. Ley que exime al propietario de cierta cantidad de impuestos sobre la propiedad basado en el valor tasado establecido por el estado.

Expropiación. Tomar posesión de propiedad privada para uso público.

Evaluación de solicitud de préstamo. El proceso de verificación y evaluación de un préstamo para su aprobación.

Examen de documentos. El proceso por el cual se examinan los documentos sometidos para la aprobación de un préstamo.

***Farming*.** El proceso de un agente de bienes raíces de desarrollar su negocio en un área en específica.

FHA. Administración Federal de la Vivienda en los Estados Unidos y sus territorios. Provee seguros hipotecarios a instituciones prestatarias aprobadas.

Fianza. Garantía monetaria generalmente obtenida a través de una compañía de seguros con el propósito de cubrir daños y pérdidas por la parte en posesión de la fianza a otra persona.

Fideicomisario. Persona o institución legalmente responsable por la administración de un fideicomiso.

Fideicomiso (REIT). Método de reunir fondos de inversionistas para comprar muchas propiedades. Ofrece grandes beneficios con respecto a los impuestos a pagar.

Fideicomiso de Resolución Corporativa (RTC). Agencia federal con el fin de liquidar bancos e instituciones de ahorros y préstamos insolventes.

Fideicomitente. El que encomienda la administración de un fideicomiso a un tercero.

Fiduciario. El asignado a mantener responsabilidad y propiedad en fideicomiso por otro.

Financiamiento. La obtención de fondos para adquirir propiedades o negocios.

Financiamiento interino. Préstamo de construcción a corto plazo. Este es un préstamo temporero.

Financiamiento permanente. Una hipoteca.

Financiamiento por el propietario. Ofrecido por el dueño muchas veces para facilitar la venta. Generalmente se establece en segunda posición de importancia después del financiamiento principal por un banco comercial.

Financiamiento sin recurso. El prestatario no es personalmente responsable por pagar.

Flujo de efectivo (Cash Flow). Dinero sobrante después de efectuar los pagos de gastos operacionales y de hipoteca. Mide el porcentaje de rendimiento del inversionista.

Freddie Mac. Corporación Hipotecaria Federal de Préstamos Hipotecarios en los Estados Unidos y sus territorios. Controlada por el Departamento de Vivienda y Desarrollo Urbano de los Estados Unidos (HUD), esta agencia cuasi-gubernamental compra préstamos hipotecarios en el mercado secundario.

Ganancia capital. Utilidad sobre la venta de bienes que han aumentado en valor.

Garante. El que ofrece una promesa o garantía a favor de otro.

Garantía. La promesa hecha por una persona (el garante) para garantizar el pago de otra persona (el abonador) a un tercero (el obligado).

Garantía de tasa de interés. Es la promesa dada por el prestamista con respecto a la tasa de interés que el consumidor pagará en su préstamo. Esta se ofrece por lo general en la fecha de solicitud del préstamo y tiene una fecha límite cuando la misma expira. Los bancos la presentan como una forma de protección al prestatario; en realidad es una técnica de venta para acelerar el cierre y garantizar la obtención del préstamo de parte de la institución financiera. Existe también el hecho de que los intereses fluctúan y el banco tiene un control limitado de estos.

Gastos financieros. El costo total del crédito de un préstamo.

Gastos operativos. Gastos necesarios para la operación de una propiedad de manera que continúe produciendo ingresos.

GIM. Multiplicador de ingreso bruto.

Gravamen. Reclamo que una persona tiene sobre la propiedad de otra para asegurar el pago de una deuda u obligación.

Gravamen tributario. Reclamo contra una propiedad por concepto de deuda de impuestos.

GRI. Instituto de Corredores Graduados; designación de la NAR (National Association of Realtors).

GRM. Multiplicador de alquiler bruto.

Herederos. Aquellos que por ley pueden recibir el caudal del difunto cuando no existe testamento.

Hipoteca. Documento que asegura el pago de una deuda contra una propiedad.

Hipoteca amortizable en su mayor parte al vencimiento. Préstamo a corto plazo con pagos de préstamo a largo plazo. El mismo tiene un balance alto a la fecha de vencimiento. Se utiliza para lograr obtener una cantidad de pago razonable con la intención de saldarlo o refinanciarlo antes de su fecha de vencimiento. Muy común en el corretaje comercial.

Hipoteca asumible. Préstamo que puede ser traspasado a otra persona que no es el prestatario original, asumiendo así la responsabilidad por el mismo con el beneficio de no tener que pagar gastos de cierre y al mismo tiempo continuar con el balance y término de pago original.

Hipoteca bisemanal. Un plan de pagos donde el prestatario paga la mitad del pago mensual cada dos semanas.

Hipoteca colectiva. Un préstamo que está garantizado por más de una propiedad. Generalmente utilizado en sindicatos de bienes raíces.

Hipoteca convencional. Un préstamo el cual no está asegurado por FHA ni garantizado por la Administración de Veteranos. Ofrecido por la banca privada.

Hipoteca envolvente. Un préstamo donde se combinan dos o más tipos de hipotecas. Por lo general, es una combinación de una hipoteca existente con otra nueva. La tasa de interés será una especie de promedio entre estas dependiendo de las condiciones del mercado hipotecario.

Hipoteca secundaria. Una hipoteca subordinada a otra. Si una ejecución es inminente, la hipoteca principal se paga primero. (En una propiedad pueden existir muchas hipotecas, cada una subordinada a la anterior.)

Hipotecante. El que concede la propiedad; el prestatario.

Hipotecar. El acto de utilizar una propiedad como garantía de una deuda.

Homologación. La acción de poner en relación de igualdad y semejanza dos bienes. Se utiliza para realizar análisis de mercado y compararlos entre sí.

HUD. Departamento de Vivienda y Desarrollo Urbano de los Estados Unidos. Agencia de los Estados Unidos que supervisa y controla la renovación urbana y la vivienda pública.

HUD-1. Formulario exigido por el gobierno federal estadounidense en el que se detallan todos los gastos relacionados con una transacción residencial.

Impacto de dinero prestado. El efecto de los fondos prestados sobre el rendimiento en la inversión.

Impuestos. Convenio de pagar establecido por el gobierno.

Impuesto de transferencia. Impuesto que se paga al transferirse título de una persona a otra. Aplica solamente a algunas jurisdicciones.

Impuesto predial. Impuesto del gobierno sobre una propiedad basado en su valor de tasación.

Inalienabilidad. Describe aquello que no puede transmitirse a otro. Los bienes públicos del estado son inalienables.

Incautación. Apoderamiento de bienes por autoridades competentes para servir de garantía por obligaciones o para una finalidad de interés público.

Incumplimiento. Dejar de hacer algo o fallar en hacer algo en lo cual ya existía una obligación.

Índice de interés. Medida que ajusta las tasas de interés.

Índice de precio al consumidor. Mide el cambio en el costo de los productos y servicios en un período determinado.

Individuos acreditados. Personas con un patrimonio neto de más de un millón de dólares.

Inflación. El aumento en precios causado por la circulación excesiva de dinero por el gobierno.

Ingreso bruto. Recaudos totales antes de descontar los gastos operativos de una propiedad.

Ingreso bruto mensual. Ingreso total mensual antes de deducir los gastos. Se utiliza durante el proceso de originación para calcular la capacidad del prestatario para efectuar sus pagos.

Ingreso de operación. Vease flujo de efectivo.

Ingreso neto de operación (NOI). Ingreso bruto menos gastos operativos, desocupación y deudas por cobrar.

Ingreso pasivo. Ingreso devengado sobre dinero invertido por actividad administrada por otra persona o entidad.

Inmueble. Que no se puede mover; fijo.

Inquilino. El arrendatario. El que alquila de otro.

Insolvencia. Cuando una persona o institución es incapaz de pagar sus obligaciones financieras.

Instituto de Administración de Bienes Raíces (IREM). Organización que otorga designaciones en el campo de la administración de bienes raíces tales como: ARM, CPM y AMO. Este instituto es la autoridad en administración.

Interés. Compensación permitida por la ley por el uso de dinero. Se aplica a la cantidad principal prestada.

Interés compuesto. Interés pagado sobre principal y sobre el interés acumulado.

Interés prevaleciente. Tasa de interés actual.

Interés simple. Interés pagado en el balance adeudado. Mientras baja el balance también baja el interés.

Intrusión. Traspasar el terreno ajeno con un edificio u objeto.

Inversión. Mecanismo por el cual se obtiene ganancias. Se espera que una inversión produzca un flujo de dinero positivo e incremente en valor el capital a la misma vez que presta servicios.

Inversionista. Persona o entidad que provee dinero con la finalidad de obtener un rendimiento determinado en el mismo y aumentar su capital.

Inversionista activo. Participa activamente en la administración de la propiedad o propiedades.

Inversionista pasivo. No participa activamente en la administración de propiedades. Puede deducir sus pérdidas solo contra actividades pasivas, como por ejemplo ingresos por concepto de rentas recibidas.

Investigación de título. Determina titularidad a través de documentos públicos y registros.

Latifundio. Fincas rústicas o extensiones de propiedad rural que exceden los límites establecidos para la pequeña propiedad.

Legado. Propiedad recibida a través de testamento.

Legar. Transferir a través de testamento.

Legatario. La persona que recibe los bienes a través de testamento debidamente documentado.

Ley de Propiedad Horizontal. Permite y reconoce la creación de condominios.

Ley de Veracidad en Préstamos. Ley federal que requiere la divulgación de información con respecto a un posible préstamo hipotecario antes de que exista una obligación.

Ley Federal de Igualdad de Vivienda. Ley que prohíbe la discriminación en alquileres basada en raza, color, religión, sexo, incapacidad, estado familiar y origen nacional.

Ley Imparcial Reportadora de Crédito. Ley que otorga al individuo el derecho a conocer su archivo en las agencias de crédito y corregirlo si existen errores.

Ley sobre Estadounidenses Incapacitados (ADA). Ofrece a individuos incapacitados el derecho de acceso a facilidades públicas. Prohibe la discriminación de los mismos.

Licuefacción. El proceso de licuar un terreno por nivel freático alto.

Límite sobre tasa de interés. El mayor porcentaje de interés que se puede cargar sobre un préstamo ajustable.

Lindero. Línea divisoria de una propiedad.

Línea de crédito. Cantidad de dinero que otorga una institución financiera a un individuo o entidad. Por lo general los intereses se pagan de acuerdo a la cantidad utilizada.

Litispendencia. Documento en el registro de la propiedad que indica la presencia de un litigio que pudiera afectar el título de una propiedad.

Lote. Grupo de bienes que representan una sola transacción.

Lotificación. La división de un solar o parcela de terreno en dos o más partes para efectos de una transacción.

MAI. Designación que significa miembro del Instituto Americano de Valuadores de Bienes Raíces.

Mantenimiento. El proceso de conservar la propiedad.

Manzana. Terreno rodeado por calles en sus costados. Puede estar construido o sin construir.

Mapa catastral. Libro que documenta los números de parcela dentro de un distrito específico; indica la localización de los terrenos y sus colindancias.

Margen. La diferencia entre la tasa índice y la suma de los gastos de operaciones de un prestamista. De esta partida el prestamista obtiene su ganancia.

Mejoras. Alteraciones que generalmente aumentan el valor de la propiedad. Pueden efectuarse en solares o edificios.

Mejoras públicas. Alteraciones a la propiedad para el beneficio público.

Mercado. Área donde se efectúan transacciones de bienes raíces. Puede ser geográfica o por tipo de propiedad. Por ejemplo: un mercado puede ser la venta de islas a través de todo el mundo. También, un mercado puede ser los aeropuertos de todo el mundo. Por su puesto un mercado puede ser un pequeño pueblo. El término mercado en realidad define la especialización del individuo o entidad.

Mercado de compradores. Cuando existen más propiedades para la venta que compradores.

Mercado de vendedores. Cuando existen más compradores que propiedades para la venta.

Mercado hipotecario primario. Donde el individuo inicia el proceso de su préstamo.

Mercado hipotecario secundario. Donde inversionistas compran hipotecas basados en criterios ya establecidos.

Método comparativo de mercado. Método de avalúo donde el valor se establece basado en ventas recientes de propiedades similares. Se utiliza para homologar las propiedades.

Método de costo. Método de avalúo donde el valor se establece basado en los costos actuales de los materiales de construcción, la mano de obra y el valor del terreno.

Método de pie cuadrado. Determina valor basado en el costo de construcción por pie cuadrado.

Método de rendimiento de ingresos. Método de avalúo donde el valor se establece basado en los ingresos generados por una propiedad. Requiere el uso de la tasa de capitalización prevaleciente. Utilizado en propiedades de inversión.

Milla. 5,280 pies; 1,760 yardas o 1,609 metros.

Mínimo. La más baja tasa de interés a ser pagada en una hipoteca con tasa de interés ajustable.

Mitigación de Pérdidas. Un proceso por el cual el prestamista intenta evitar el embargo de una propiedad por falta de pago.

MLS. Servicio de Listado Múltiples. Sistema donde los agentes son informados de propiedades ofrecidas por otros agentes.

Modificación Hipotecaria. Una forma de mitigación de pérdidas donde el préstamo se extiende o se refinancia para reducir su pago mensual.

Mojón. Señal que establece y marca los límites de una propiedad y su extensión.

Mora. La condición de efectuar pagos de forma tardía.

Mueble comercial adherido. Propiedad mueble que temporeramente está adherida a un edificio o terreno para conducir negocios. Una vez terminado el contrato de arrendamiento, el arrendatario lo remueve sin hacer daño a la estructura; desmontable.

Multa por pago adelantado. Penalidad por saldar su préstamo antes de su vencimiento.

Multiplicador de alquiler bruto (GRM). Número que se multiplica por el alquiler bruto de una propiedad para determinar su valor aproximado.

Multiplicador de ingreso bruto (GIM). Número que se multiplica por el ingreso bruto de una propiedad para determinar su valor aproximado.

Multiplicador de ingreso neto. El múltiple de ingreso neto con respecto a los gastos operativos de la propiedad.

NAR. Asociación Nacional de Corredores

Neto disponible. Cantidad de dinero restante al finalizar el año después de haber pagado los gastos operativos y los gastos de hipoteca. El sobrante.

Nivelación. La distribución apropiada de la tierra para efectuar una construcción.

NOI. Ingreso neto de operación.

Notario público. Persona autorizada por el estado para administrar juramentos, certificar documentos por escrito, manejar testamentos, hacer deposiciones y protestar instrumentos según permitido por la ley.

Novación. El acto de sustituir un contrato nuevo por otro.

Nulo y sin valor. Se dice de algo que no es legalmente válido ni ejecutable. Por lo general, se dice de contratos.

Número de parcela de valuación. Sistema numérico para identificar terrenos para su valuación y recaudo de impuestos.

Obligado. Persona, personas o entidad responsable por una deuda u obligación.

Obligante. Persona, personas o entidad a quien se le debe una deuda u obligación.

Obsolescencia. Limitación de utilidad y pérdida de valor.

Obsolescencia curable. Aquella cuyo costo por corregirla es menor que el beneficio económico que recibe por la curación. Es una buena inversión curarla.

Obsolescencia económica. Pérdida de valor debido a causas externas de tipo económico.

Obsolescencia externa. Pérdida de valor debido a causas externas ajenas a la propiedad.

Obsolescencia funcional. Pérdida de valor debido a mejoras inadecuadas, demasiado adecuadas, o no actualizadas a las necesidades actuales.

Obsolescencia incurable. Aquella cuyo costo por corregirla es mayor que el beneficio económico que recibe el bien. No es una buena inversión corregirla.

Obsolescencia irremediable. Depreciación incurable.

Obsolescencia técnico funcional. Pérdida de valor, resultado de una nueva tecnología.

Oferta. Propuesta para realizar un contrato.

Oficial de custodia. Agente de cierre.

Oficina de Registro. Departamento del gobierno donde se efectúan los registros de la propiedad.

Ofrecedor. El que hace la oferta.

Ofrecido. El que recibe la oferta.

Oneroso. Contrato del cual se obtienen beneficios y gravámenes recíprocos.

Opción. Derecho a comprar o arrendar basado en términos definidos. Conlleva un término de tiempo determinado.

P&L. Estado de pérdidas y ganancias.

Pagaré. Promesa por escrito de pagar una deuda.

Pago Adelantado. El pago de un préstamo antes de la fecha de vencimiento. También se le llama prepago.

Pago de saldo mayor. El pago del balance mayor de un préstamo. Por lo general, un préstamo amortizado por un período mayor que el término del préstamo.

Pago inicial. La diferencia entre el precio de compra y la cantidad de préstamo otorgada.

Parcela. Terreno

Participación en la equidad. Situación donde el prestatario adquiere el derecho a una parte de la propiedad.

Patrimonio neto. El valor de todos los activos de la persona incluyendo dinero en efectivo y substrayendo sus obligaciones y responsabilidades financieras pendientes.

Penalidad de prepago. Dinero pagado al prestamista por el saldo prematuro de un préstamo. En algunos círculos se conoce como cuota de reinversión.

Percolación. La velocidad con la que el agua estancada penetra el suelo del terreno.

Pérdida pasiva. Pérdida de dinero sobre actividad pasiva.

Pérdidas de oportunidad. El valor percibido del rendimiento en inversiones no realizadas.

Período de gracia. Vease Período de indulgencia.

Período de indulgencia. El otorgamiento de tiempo adicional para pagar una deuda sin incurrir en delincuencia ni penalidades. Período de gracia.

Permiso de construcción. Autorización por las autoridades a construir o efectuar mejoras a una propiedad.

Permiso de uso. Autorización por las autoridades a utilizar una propiedad. Certificación de habitabilidad.

Permiso de uso condicional. Autorización por las autoridades a utilizar una propiedad para usos diferentes a la zonificación actual. Permite el uso sin cambiar la zonificación.

Permuta. El intercambio de una propiedad por otra.

Persona natural. Persona viva, no una corporación.

Pertenencia. Derecho legal de una personal a poseer algo.

Pertenencia concurrente. Que pertenece a dos o más personas.

Pignoración. La entrega de valores en prenda como garantía de deuda. El acto de empeñar algo.

PITI. Pago que incluye principal, interés, impuestos y seguro.

Plano. Dibujo que muestra la distribución del espacio de una estructura; dibujo que muestra la localización y la colindancia de una propiedad.

Plano de ubicación. Dibujo que muestra la localización exacta de un edificio y sus alrededores.

Pleno dominio. Dueño absoluto de una propiedad real.

Pleno dominio condicional. Requiere que algo ocurra para que se efectúe el traspaso de una propiedad y el cambio de titularidad se efectúe.

Plica (Escrow). El acuerdo de depositar dineros con una tercera parte (usualmente un banco comercial) hasta que se cumplan las condiciones establecidas para la finalización de una transacción. Cuenta de custodia.

Plusvalía. El aumento del valor de las cosas. En el mundo inmobiliario representa el aumento en valor cuando se realizan mejoras en los servicios de utilidades y acceso a la propiedad, tales como alumbrado público, carreteras, caminos y saneamiento ambiental entre otros.

PMI. Seguro privado de hipoteca

Poder. Autorización legal por escrito que permite a una persona actuar a nombre de otro. Puede ser para una transacción en particular o por tiempo ilimitado.

Porcentaje de deuda a ingreso. Mide el porcentaje de la deuda con relación a los ingresos.

Porcentaje de gastos de alojamiento. Mide el porcentaje de gastos con relación a los ingresos para determinar viabilidad de obtener un préstamo hipotecario.

Portador. El propietario legal de una propiedad.

Pozo séptico. Tanque subterráneo hacia donde una alcantarilla sanitaria drena.

Pre-aprobación. El compromiso del prestamista de otorgar un préstamo a un posible prestatario siempre y cuando el prestatario siga cumpliendo con los requisitos de cualificación.

Precualificación. El proceso de determinar cuánto puede pagar un cliente potencial antes de comprometerse a una compra. Toma en consideración capacidad de pago y deudas.

Prepago. Pagar un préstamo antes de la fecha de vencimiento del mismo. Este pudiera estar sujeto a una penalidad.

Precio por unidad. Análisis que divide el precio de compra de una propiedad por el número de sus unidades.

Precio por metro cuadrado. Análisis que divide el precio de compra de una propiedad por el número de metros cuadrados.

Predio. Terreno o edificio, rústico o urbano.

Predio dominante. Predio a cuyo favor se encuentra constituida una servidumbre.

Predio rústico. El que se encuentra fuera de la población. Para uso campestre.

Predio sirviente. Terreno el cual posee una servidumbre a favor del predio dominante.

Predio urbano. El destinado para población de vivienda.

Prescripción adquisitiva. Adquisición de una propiedad a través de una posesión prolongada sin la autorización expresa del propietario.

Prestamista. El que ofrece el préstamo. Puede ser un banco, institución financiera y hasta una persona privada. Este es un inversionista y su rendimiento en la inversión lo determina la tasa de interés cobrado, los puntos cargados y cualquier otro tipo de cargos que se le imponga al prestatario.

Préstamo. Dinero por el cual el prestatario tiene que responder al prestamista basado en los términos estipulados.

Préstamo adquirido. La obligación de pagar un préstamo que existía previo a la venta. Se utiliza como herramienta de negociación para agilizar una venta y reducir los gastos de adquisición de un préstamo nuevo o mayor.

Préstamo amortizado. El repago de una obligación a través de pagos iguales que incluyen principal e interés por un término determinado.

Préstamo atrasado. Cuando la obligación de pago no se ha efectuado y su fecha límite ha vencido.

Préstamo conforme. Préstamo convencional que cumple con los requisitos establecidos por Fannie Mae y Freddie Mac.

Préstamo convencional. Préstamo que no está asegurado por FHA ni garantizado por VA.

Préstamo de cartera. Préstamo que no se vende al mercado secundario, permaneciendo así con la institución que lo otorgó inicialmente.

Préstamo de tasa fija. Préstamo donde la tasa de interés nunca cambia durante el término establecido.

Préstamo bisemanal. Préstamo que se paga cada dos semanas. Su efecto es uno de grandes ahorros para el prestatario.

Préstamo garantizado por el capital acumulado en la casa. Préstamo basado en la diferencia entre el valor del mercado actual y el balance de otros préstamos que el prestatario tenga en su propiedad. Préstamo basado en la equidad la propiedad.

Préstamo grande (*Jumbo Loan*). Tipo de préstamo donde la cantidad prestada es mayor que la suma calificable para su compra en el mercado secundario. Estos préstamos son excepciones y conllevan una tasa de interés mayor.

Préstamo incumplido. Préstamos donde el prestatario no ha cumplido con sus pagos.

Préstamo interino. Préstamo temporero que será reemplazado por uno permanente. Generalmente se utiliza para proyectos de construcción.

Préstamo permanente. Préstamo que reemplaza el préstamo interino. El que obtiene el cliente del desarrollo.

Préstamo sin documentos. Tipo de préstamo donde no se requiere la documentación de ingresos, empleo ni activos. Otorgado únicamente a personas con un historial de crédito perfecto y basado en una puntuación establecida.

Préstamo sin relación. Tipo de préstamo donde no se requiere la documentación de ingresos. Sí se requiere la documentación de activos. Otorgado a personas con un historial de crédito perfecto. Muy común entre herederos de grandes fortunas.

Prestamos subordinado. Préstamo a personas de alto riesgo. Normalmente conllevan una tasa de interés mayor.

Prestatario. Persona a la cual se le ha otorgado dinero a través de un préstamo. El que toma dinero prestado. Por lo general, una institución bancaria.

Prima anticipada de seguro hipotecario. Pago al inicio de un préstamo otorgado por FHA para asegurar el mismo.

Prima de seguro. Cantidad de dinero pagada para cubrir la póliza de seguro.

Primera hipoteca. Préstamo hipotecario que tiene prioridad en el caso de un juicio hipotecario.

Primera fase de estudio ambiental. La investigación de documentos sobre posibles problemas ambientales en la propiedad. No se analiza el terreno, solo sus documentos.

Principal. Cantidad de dinero sobre la cual el interés cargado por el prestamista es pagado.

Principio de rendimiento en inversión. Cada dólar invertido debe proveer más de $1 dólar de rendimiento. Si una inversión produce menos de $1 por cada dólar invertido, debemos detener nuestra inversión.

Privilegio de prepago. El derecho a pagar parte o saldar un préstamo antes de su fecha de vencimiento sin penalidades.

Pro-forma. Estado financiero con proyecciones futuras de ingresos, gastos y ganancias.

Proceso de pasar beneficios. Traspasar beneficios a inversionistas o accionistas.

Propiedad. Derecho exclusivo a algo excluyendo a otros del mismo derecho.

Propiedad mancomunada. Propiedad donde ambos esposos tienen trato por igual, ambos siendo dueños por separado de la mitad de la propiedad.

Propiedad de inversión. Propiedad que genera ingresos.

Propiedad en pleno dominio. El dueño tiene título pleno de por vida con el poder de disponer de ella como desee y sin condiciones. Es el derecho más extenso que se puede tener sobre una propiedad.

Propiedad en reversión. Derecho del disfrute futuro de una propiedad actualmente en posesión de otro.

Propiedad igual. Se dice de propiedades que tienen igual uso y calidad. Se utilizan para comparar propiedades.

Propiedad inmueble. Terrenos, edificios y sus mejoras.

Propiedad personal. Derecho a cosas movibles no clasificadas como propiedad real.

Propiedad real. Terrenos y todo lo que esté permanentemente fijo a estos. Que no se puede mover.

Propiedad residencial. Propiedad de uso residencial.

Propiedad rural. Propiedad en el campo.

Propiedad sujeto. Propiedad que se evalúa.

Propiedad urbana. Propiedad en la ciudad.

Propiedad vitalicia. Derecho a una propiedad por la duración de la vida de la persona.

Propietario ausente. Arrendador que no vive ni ocupa ninguna porción de su propiedad.

Propietario registrado. Persona o entidad nombrada en el registro público de la propiedad.

Prorratear. Determina la participación en los gastos e ingresos de una propiedad basados en la fecha de la transacción.

Prospecto. Posible cliente comprador o vendedor (dueño) para una transacción de bienes raíces.

Protector de impuestos. Leyes que ahorran el pago de impuestos como resultado de una inversión.

Protocolo. Libro numerado donde se asientan con un folio consecutivo todas las escrituras.

Protocolizado. Documento aprobado y debidamente inscrito en los tribunales.

Provisión para vencimiento anticipado. Cláusula que le permite al prestamista cobrar el balance total de la deuda cuando desee.

Publicidad falsa. Engaños a través de los medios de comunicación; declaraciones falsas.

Puntaje FICO. Representa el nivel de riesgo crediticio de una persona. Utilizado para evaluar solicitudes de préstamos. El sistema fue concebido por Fair Isaac Corporation y es utilizado exclusivamente por Experian, una agencia de reportes de crédito. Sin embargo, su nombre se ha convertido en uso común para identificar el puntaje de otras agencias reportadoras de crédito. Las tres más grandes son: Equifax, TransUnion y Experian.

Puntos. Equivale a 1 por ciento de la cantidad a financiar pagadero al prestamista al momento del cierre hipotecario. Utilizado por los prestamistas para aumentar el rendimiento en su inversión al convertir el interés nominal en un interés efectivo más alto. El pago de puntos siempre beneficia al prestamista y aumenta el rendimiento en su inversión.

Puntos de descuento. Vease punto.

RAM. Hipoteca de anualidad inversa.

REALTOR. Nombre registrado utilizado para identificar a miembros de la NAR, una organización que cubre todas las ramas de la industria de los Bienes Raíces.

Reamortizar. Nombre dado al ajuste de un préstamo debido a un cambio en sus pagos, tasa de interés o cantidad total prestada. Calcula los nuevos términos de pago.

Rebaja de impuestos. Reducción de impuestos sobre la propiedad por parte del gobierno.

Recuperación. Se dice del derecho del titular a recuperar su propiedad del deudor en caso de bancarrota.

Redlining. Práctica ilegal de rechazar el otorgamiento de hipotecas en ciertos vecindarios.

Refinanciar. El pago de una deuda con dinero de otro préstamo. Se utiliza mayormente para obtener mejores términos.

Registrar. El acto de inscribir una propiedad en el sistema de registro público a través de documentos legales debidamente firmados. Parte del proceso de compraventa.

Reglamento X. Ley sobre procedimientos y divulgación de costos del cierre en bienes raíces, creada para proteger al consumidor de prácticas ilícitas y tarifas onerosas.

Reglamento Z. Ley federal que requiere que las instituciones bancarias muestren a sus clientes por escrito el costo de obtener un préstamo hipotecario.

Relación combinada Préstamo - Valor. Mide el porcentaje del valor de todos los préstamos de una propiedad contra el valor de mercado de la misma. Por ejemplo, la suma del balance de una hipoteca más el balance de un préstamo de equidad entre el valor de la propiedad.

Relación de gastos operativos. Mide el porcentaje de los gastos operativos entre el ingreso bruto operacional.

Relación del préstamo al valor. Relación entre la cantidad de dinero prestada y el valor de la propiedad. Por lo general, el prestatario otorgará un préstamo utilizando la relación de menor valor entre el precio de venta y la tasación de la propiedad. Se expresa de forma porcentual.

Relación Deuda - Ingreso. Mide la relación de las deudas contra los ingresos. Se expresa de forma porcentual.

Relación Gasto de vivienda - Ingreso. Mide la relación de los gastos de vivienda entre el ingreso bruto mensual. Se expresa de forma porcentual.

Relación Préstamo - Valor. Mide el porcentaje de la cantidad prestada entre el valor de la propiedad.

Rendimiento (Yield). La medida en términos porcentuales del retorno del dinero invertido.

Rendimiento efectivo. La medida en términos porcentuales del retorno de la combinación del dinero invertido y el tiempo transcurrido desde el comienzo de la inversión.

Renta base. El mínimo de renta que se pagará bajo un contrato de arrendamiento.

Renta bruta proyectada. Estimado de lo que una propiedad 100% ocupada puede generar en rentas.

Renta económica. La renta que una propiedad puede generar basada en las condiciones actuales del mercado; renta de mercado.

Renuncia. Cesión voluntaria de un derecho o privilegio.

Reporte de impacto al medio ambiente (EIR). Reporte que indica el efecto que un proyecto pueda tener sobre cierta área.

Reporte uniforme de avalúo residencial (URAR). Reporte provisto por evaluadores profesionales para ofrecer una opinión de valor sobre una propiedad.

Requerimiento de retallo. Distancias establecidas por las autoridades con respecto a la posición del frente de los edificios dentro de la propiedad.

Rescisión. Anular un contrato. Cancelar.

Reserva Federal. Banco Central de los Estados Unidos. Esta es la principal agencia reguladora de la mayoría de los bancos comerciales.

Reservas. Parte de los pagos mensuales retenidos para cubrir los gastos de impuestos, seguro y otros que apliquen a ese tipo de préstamo en particular.

Reservas de reemplazo. Reservas establecidas para gastos de mejoras de capital.

RESPA. Ley sobre procedimientos del cierre de bienes raíces.

Restitución de la propiedad. En casos donde existía una deuda y la misma ya está salda, se efectúa una transferencia de la propiedad a su dueño.

Revelación. El acto de hacer saber algo; ofrecer conocimiento sobre una situación.

Reversión al estado. La reversión de una propiedad al estado por falta de herederos.

Riqueza. El número de días que se puede vivir sin tener que trabajar por dinero y aún mantener el mismo estilo de vida.

RTC. Fideicomiso de resolución corporativa.

S&L. Asociaciones Federales de Ahorros y Préstamos.

SAIF. Fondo Asegurador de Asociaciones de Ahorros.

Sección 203 (b) de la administración federal de vivienda. Sección que describe los requisitos aseguradores para préstamos FHA.

Segregación. División de un terreno en dos o más parcelas.

Seguro contra incendio. Cobertura requerida cuando se establece un préstamo hipotecario.

Seguro contra inundación. Cobertura requerida cuando se establece un préstamo hipotecario si la propiedad aparece bajo zona inundable en los mapas de la Agencia Federal de Administración de Emergencias (FEMA).

Seguro de título. Cobertura contra los posibles defectos del título de una propiedad. Requerido por los prestamistas como condición del préstamo hipotecario.

Seguro hipotecario. Cobertura contra la falta de pago por parte del prestatario. Requerido por el prestamista cuando la cantidad de aportación inicial no es considerada adecuada.

Sentencia. Dictamen; decisión legal; cuando se ordena el pago de una deuda.

Servicio de deuda. Cantidad de dinero necesaria para efectuar el pago de principal e interés de una hipoteca. Generalmente se expresa en su cantidad anual. En propiedades comerciales se utiliza para determinar la cualificación del individuo para el préstamo basado en el ingreso neto operativo generado por la propiedad y un múltiple determinado y establecido por el prestamista.

Servicio de préstamos. La administración de préstamos hipotecarios. Incluye el cobro de los pagos, el manejo de la cuenta, seguros, impuestos, ejecuciones y cualquier otra actividad relacionado con el mismo. Este servicio se lo ofrecen los bancos al mercado secundario de hipotecas.

Servidumbre. Derecho del que goza una persona de usar un terreno ajeno.

Servidumbre de paso. Derecho que permite a una persona pasar sobre terreno ajeno.

Servidumbre de servicios públicos. Derecho que poseen las compañías públicas a utilizar terreno ajeno para establecer sus servicios.

Servidumbre por necesidad. Se otorga por ley para acceder terreno que de otra manera estaría inaccesible.

Servidumbre por prescripción. Servidumbre que se establece para uso prolongado.

Sexmo. Unidad de medida de terrenos equivalente a seis millas cuadradas.

Sindicación. La agrupación de personas o negocios con el fin de unir su capital para inversiones.

Sindicato de bienes raíces. La agrupación de personas o negocios con el fin de unir su capital para inversiones en bienes raíces.

Sistema acelerado de recuperación de costo (ACRS). Método de depreciación rápida.

Sistema alodial. Sistema por el cual se les permite a las personas el poseer terrenos.

Sistema de la Reserva Federal ("the Fed"). Sistema federal estadounidense de banca cuya responsabilidad incluye la regulación del flujo del dinero.

Sistema de tiempo compartido. Ofrece tenencia compartida.

Sistema feudal. Donde todos los terrenos le pertenecen al rey.

Sistema métrico por hectáreas. Medida equivalente a 2.47 acres estadounidenses.

Sitio. Localización de una propiedad.

Sobre mejoras. Mejoras realizadas a propiedades que no añaden valor a la misma.

Sociedad de responsabilidad limitada (LLP). Forma de pertenencia que limita la responsabilidad personal de los socios. Forma común de adquirir propiedades comerciales.

Solicitud. La declaración de la intención de obtener un préstamo. La misma incluye información personal y financiera sobre el individuo.

Solicitud de préstamo. Documentos exigido por los prestamistas que incluye información sobre el prestatario y sobre la propiedad sujeto de dicho préstamo.

Solvencia. Habilidad de una persona para obtener crédito y liquidar deudas.

Subarrendador. Persona o entidad que se convierte en arrendatario de otro arrendatario.

Subarrendar. El acto de transferir cierta parte de los derechos de arrendamiento.

Subarrendatario. El que subarrienda de otro que a su vez es un arrendatario y el cual posee el contrato original.

Subasta. El proceso de ventas a través de ofertas. Por lo general, se hace de forma pública. La propiedad se otorga al mayor postor siempre y cuando iguale o exceda cualquier reserva o valor mínimo establecido.

Sucesión intestada. La forma de administrar el caudal del difunto cuando no existe testamento.

Sumersión. Cuando el agua cubre terrenos previamente secos.

Sumidero. Abertura natural en la tierra, formada por actividad subterránea natural. La existencia de esta representa inestabilidad en los terrenos.

Tasa de capitalización. Porcentaje utilizado para determinar el valor de una propiedad basado en su ingreso neto operacional; el porcentaje lo determina el mercado.

Tasa de interés variable. Tasa de interés que cambia periódicamente basada en la tasa índice.

Tasa de porcentaje anual (APR). Medida uniforme del costo del crédito. Esta varía constantemente.

Tasa efectiva de interés. Rendimiento real de la inversión del prestamista. Generalmente es mayor que la tasa nominal de interés. No se refleja en los documentos del prestatario.

Tasa nominal de interés. Porcentaje que aparece escrito en los documentos de financiamiento.

Tasa federal de rebaja. Tasa federal reducida.

Tasa fija. Tasa de interés de un préstamo la cual no cambia durante el término del mismo.

Tasa índice. Tasa a la cual se ajustan las hipotecas que ofrecen un interés variable.

Tasa inicial. La tasa de interés cargada durante el primer intervalo de una hipoteca con tasa de interés ajustable.

Tasa milésima. Porcentaje de impuestos sobre la propiedad que se expresa por décimos de un centavo por cada dólar de valor tasado por el estado.

Tasa ofrecida por el Interbanco de Londres (LIBOR). Tasa de interés ofrecida por el mercado monetario internacional.

Tasa total. Factor utilizado para valorizar propiedades producientes de ingresos.

Tasación. Opinión de valor sobre una propiedad. La misma puede tomar en consideración ventas recientes, la condición de la propiedad, costo de construcción, ingresos e impactos del vecindario en su valor futuro.

Tasación de impuestos. Impuestos ejecutados sobre propiedad privada para pagar por mejoras públicas.

Tasador. Profesional evaluador de los bienes raíces que emite una opinión de valor sobre una propiedad.

Tasador contributivo. Oficial de gobierno debidamente cualificado que emite una opinión de valor sobre una propiedad para efectos contributivos.

Tasas de interés flotantes. Tasas de interés que cambian de acuerdo a las condiciones del mercado.

Tasa de interés más favorable. La tasa de interés más baja por el cual cualifican las personas o entidades con los mejores historiales de crédito. También se conoce como tasa preferencial.

Tenedor de opción. Persona o entidad que posee la opción.

Tenencia colectiva. Cuando muchas personas tienen derecho por igual de toda la propiedad. Generalmente a través de un fideicomiso. Utilizado especialmente para preservar comunidades y evitar que inversionistas se apoderen poco a poco de los terrenos y sus edificaciones. Ninguna persona tiene derecho a vender ni comprar, pero sí del uso de las propiedades.

Tenencia en común. Cuando una propiedad le pertenece a dos o más personas donde los sobrevivientes reciben por derecho, la participación de los otros fallecidos.

Término. Duración de tiempo según acordado en un contrato.

Término de amortización. Cantidad de tiempo por la cual se va a amortizar un préstamo. No necesariamente tiene que ser equivalente al término del préstamo. Sin embargo, tiene que ser igual o mayor que el mismo.

Terreno. Superficie de tierra que se extiende hasta el centro de la tierra y hasta el cielo.

Terreno vacante. Se dice de un terreno sin edificios, pero no necesariamente sin mejoras para utilidades.

Testado. Morir con un testamento ya establecido.

Testador. El que establece el testamento; el que concede los bienes de su caudal bajo testamento.

Testaferro. Se dice de aquel que efectúa compras por otra persona o entidad no identificadas con el propósito de mantener confidencialidad.

Testamento. Documento legal que establece la forma de disponer de los bienes del caudal del difunto.

Testamento hológrafo. Testamento escrito a puño y letra y firmado por el testador, pero sin ser atestiguado.

Testamento nuncupativo. Testamento oral declarado por el testador durante su última enfermedad con un número adecuado de testigos presentes.

Testamento oral. Testamento nuncupativo.

Título. Derecho a algo; pertenencia; dominio.

Título incontestable. Se dice de un título libre de vicios. Un título limpio y sin controversias ni disputas.

Tope vitalicio sobre la tasa de interés. Este es el interés más alto que se puede cobrar por una hipoteca con tasa de interés variable.

Tope sobre los pagos. Este es el límite más alto que puede aumentar el pago de una hipoteca de interés variable. Esto podría resultar en una amortización negativa si la tasa de interés aumenta demasiado.

Tope sobre la tasa de interés periódica. Este es el límite sobre la cantidad que puede cambiar la tasa de interés en cada período de ajuste.

Topografía. Se dice de los niveles de la tierra, sus relieves, forestación y localización de cuerpos de agua.

Transferible. El potencial que posee un bien de pasar de una persona a otra.

Transferir. El acto de pasar un bien de una persona a otra.

Traspasar. Vease transferir.

Tributación. Impuestos sobre la propiedad; constituye un gravamen sobre la misma.

Un cuarto de una sección. Unidad de medida de área equivalente a 160 acres o 647,496 metros cuadrados o 6,969,600 pies cuadrados.

Uso inconforme. Mejoras que no son consistentes con las reglas de uso de la propiedad.

Uso óptimo. La utilización de una propiedad para optimizar su valor en el mercado.

Usufructo. Derecho real por un período de tiempo determinado y condicionado a la devolución de la cosa.

Usura. Práctica ilegal de cobrar una tasa de interés mayor a la permitida por ley.

Usurpación. Mejoras construidas parcial o totalmente en propiedad de otro de forma ilegal. Ejemplos comunes son: verjas, paredes, jardines y aceras.

Utilidad. Se dice de la capacidad de un producto o servicio para satisfacer la demanda por el mismo.

VA. Administración de Veteranos Estadounidense.

Valor catastral. Establece la cantidad de valor en la cual se basarán los impuestos a pagar.

Valor de mercado. Precio el cual un comprador debidamente informado y actuando sin presiones, pagaría por una propiedad durante un período de tiempo razonable.

Valor de reemplazo. El costo actual para reemplazar una estructura de forma similar a la original.

Valor de seguro. El costo de reemplazar una propiedad afectada físicamente.

Valor del préstamo. Opinión de valor establecida sobre una propiedad para determinar la cantidad del préstamo.

Valor neto. El valor de los bienes de una persona o entidad menos sus deudas.

Valorización. Un incremento en valor.

Valuación de bienes raíces. Avalúo.

Valuador. Persona licenciada para evaluar valor de propiedades; pudiera también tener la educación para evaluar negocios. Tasador.

Valuar. Emitir una opinión de valor.

Variancia. Autorización otorgada a una persona o entidad para variar el uso establecido de una propiedad.

Varilla. Unidad de medida equivalente a 16.5 pies lineales.

Velocidad de absorción. Rapidez con la que la tierra absorbe el agua haste el punto de saturación.

Vencimiento. La finalización de un préstamo. La fecha de su madurez. Cuando se salda un préstamo.

Venta con arriendo inverso. Se dice de cuando un propietario vende su propiedad a otro permaneciendo como arrendatario de este. Utilizado por comerciantes para recaudar fondos y utilizarlos para el crecimiento de su negocio principal.

Venta condicional. El potencial de una venta, pero condicionado a que otro evento ocurra primero. Por lo general, la venta de otra propiedad.

Ventas brutas. El total de las ventas.

Verificación de depósito. Documento firmado por el prestamista declarando el saldo de una cuenta.

Verificación de empleo. Documento firmado por el patrono declarando la posición y compensación del prestatario.

Viabilidad. La probabilidad de desarrollar un proyecto o realizar una inversión exitosamente.

Vicio de título. Gravamen o reclamación pendiente que pudiera afectar la titularidad de la propiedad.

Vida económica. La estimación de utilidad de una propiedad.

VIR. Tasa de interés variable.

Voluntad de Dios. Eventos inevitables causados por la naturaleza. No pueden ser controlados por el hombre.

VOM. Por sus siglas en inglés. Verificación de hipoteca cuando el prestamista es el dueño anterior de la propiedad y no una institución financiera.

Zapata. El cimiento o base que soporta la carga de una estructura. Está basada en la altura de la estructura.

Zona libre. Área definida considerada como si estuviera fuera del territorio del Servicio de Aduana de los Estados Unidos. Considera el almacenamiento y manufactura de mercancía extranjera y/o doméstica, como si la misma se estuviese efectuando fuera del territorio aduanero. Puede ser administrada por una entidad gubernamental o una entidad privada debidamente autorizada por la Junta de Zonas Libres.

Zonificación. Reglamentos del estado que controlan el uso de los terrenos de acuerdo al distrito en que se encuentran y su densidad poblacional.

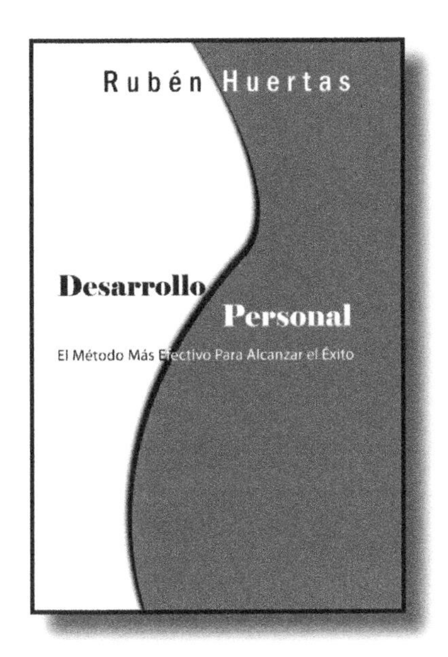

Lea un extracto del libro

Desarrollo Personal

El Método más Efectivo para Alcanzar el Éxito

Por Rubén Huertas

Ramón, El Vendedor

Ramón es un vendedor que se ganó un viaje por haber sido seleccionado como uno de los 10 mejores en su empresa. Todos los premiados fueron invitados a disfrutar de una bella y exótica Isla del Caribe durante una semana. Los gastos vacacionales estaban cubiertos por esta grandiosa compañía.

Al llegar a la Isla todos se fijaron en la belleza de los jardines y en el impresionante azul cielo. No había nube alguna que opacara su esplendor. Asimismo, los jardines y áreas verdes eran muy amplios, brillantes y muy bien cuidados. La Isla era sencillamente un paraíso.

De igual manera, la recepción del hotel estaba decorada con abundantes flores frescas, brillantes y llamativas. Cada detalle era manejado con delicadeza. Era sin lugar a dudas una operación de primera clase. Desde los pulidos pisos en mármol hasta las delicadas molduras talladas en caoba, una verdadera obra de arte.

Se percibía, en cada detalle de las instalaciones, el gran orgullo que sentían los dueños al igual que sus empleados. Recibieron, entonces, a Ramón y al resto de sus compañeros. Cada uno fue escoltado a su villa por un elegante y cortés empleado. Su uniforme, perfectamente planchado, mostraba un atractivo escudo dorado grabado en la parte izquierda de su chaqueta color azul marino. Además, presentaba el nombre y la insignia de este increíble hotel.

Una vez en su habitación, Ramón quedó muy impresionado con las amplias ventanas con vista al mar y el lavamanos en mármol con llaves en oro. El clima era perfecto y una suave y melodiosa música se escuchaba a través de unas bocinas que se fusionaban con el majestuoso diseño de su cuarto.

En ese momento intentó darle una propina al empleado que ya se retiraba; pero, este la rechazó amablemente. Le indicó que todas las propinas habían sido cubiertas por su empresa y que solo tenía que disfrutar y descansar. Este era su recompensa por ser uno de los vendedores más destacados de su trabajo.

Ramón estaba muy entusiasmado y procedió a prepararse para las actividades de esa noche. El grupo de vendedores tendría una cena formal y un orador muy conocido les deleitaría con una charla de motivación.

Tan pronto como terminó de prepararse, bajó las escaleras de su villa hasta llegar a un comedor privado, pensando en lo afortunado que era por haber tenido la oportunidad de participar de dicho viaje y visitar un lugar tan espectacular. Estaba ansioso por llamar a su esposa y contarle todo al respecto.

Durante la cena, todos los vendedores comentaban sobre cuán grandiosas eran sus villas. Especialmente estaban impresionados con la amplia piscina privada con vista al mar que cada uno tenía. Ramón tenía una villa espectacular, pero sin piscina. Así que comenzó a pensar que aunque había sobrepasado su cuota de ventas y calificado para el viaje, tal vez su producción no era tan buena como la de los otros vendedores quienes obviamente disfrutaban de mejores habitaciones.

Ramón nunca había visitado un lugar tan majestuoso, así que de todas maneras estaba muy contento de estar allí. Decidió escuchar a los demás y no comentar sobre su villa.

Al finalizar la cena, Ramón regresó a su villa y pasó casi toda la noche disfrutando de películas en la pantalla gigante que había en su cuarto. Disfrutó cada minuto de éstas como si fuera un niño.

La mañana siguiente, durante el desayuno, todos los demás vendedores comentaban cuán fantásticos fueron los conciertos en vivo que tuvieron en los balcones de sus villas privadas con vista al mar. Estos aseguraban, de forma muy eufórica, que esa noche había sido una de las más memorables de sus vidas.

Cada uno de sus compañeros tuvo como artista invitado a su cantante o banda favorita. Esa noche hubo conciertos en vivo con "The Rolling Stones", "Madonna", "Juan Luis Guerra", "Julio Iglesias", "Maná", "El Gran Combo", entre otros.

Ahora sí que Ramón estaba seguro de que su producción no pudo haber sido tan buena como la de los demás vendedores. Definitivamente, disfrutó de sus películas en la pantalla gigante; pero, nada como lo que sus colegas habían tenido: conciertos en vivo con las mejores estrellas.

Así pasó toda la semana, cada día con un evento superior al anterior. Ramón se limitó a escuchar y no comentar sobre sus experiencias ya que todas fueron muy inferiores a las de los demás. Sin embargo, tenía que reconocer que éstas fueron superiores a todo lo que había vivido hasta ese momento.

El último día, Ramón se preparó para regresar a su casa y llamó al maletero para que llevara su equipaje a la limosina que los dejaría en el aeropuerto. En menos de dos minutos llegó a su cuarto. Este acomodó las maletas en el carro de rodaje y le preguntó a Ramón si tenía alguna otra maleta en la habitación principal. ¿Habitación principal? ¿A qué usted se refiere?, preguntó Ramón. El maletero, en ese instante, abrió las puertas dobles que continuaban hacia la habitación principal.

Para su sorpresa, Ramón había pasado toda la semana en el área de recepción de su villa sin percatarse de que detrás de esas puertas dobles estaba la habitación principal y las mayores atracciones de la villa.

Durante todo el tiempo había tenido acceso a una amplia piscina con vista al mar. Detrás de unas bellas puertas en cristal estaba el enorme balcón con su elegante escenario y copias del programa del concierto que Richard Clayderman, su artista favorito había ofrecido.

Ramón no podía creer que todo esto había ocurrido durante la semana y que él se lo había perdido. Estaba un poco desilusionado. Si hubiera sabido que tenía todo esto, su viaje hubiese sido mucho más enriquecedor.

Así sucede con nuestra vida, la que está llena de puertas y grandiosas oportunidades. Éstas esperan por nuestras manos para abrirlas y descubrirlas. Muchas veces no las vemos y nuestro caminar se torna pesado. Prestemos, también, atención a aquellas personas que están dispuestas a ayudarnos y nos abren su corazón. Evitemos, pues, que nuestras inseguridades y ansiedades nos confundan mientras intentamos trabajar por nuestras metas.

Ramón, el vendedor de esta historia, desconocía que esas puertas maravillosas existían; a pesar de tenerlas frente a sí mismo todo el tiempo. Discreto y conforme con lo recibido, no tuvo la valentía de descubrir lo que la vida le deparaba en ese momento. Probablemente pensó cuán avergonzado se hubiese sentido al preguntar qué había detrás. Ciego y con temor a parecer tonto, perdió grandes oportunidades.

La vida siempre nos dará aquello que nos merecemos, pero muchas veces tenemos que pedirlo. Sería una pena pasar por nuestras vidas ignorando lo obvio y sin percatarse de aquello que está a simple vista. Lo que sea que usted desee, búsquelo. La respuesta está dentro de usted, esperando que usted pregunte. Despierte y viva.

La vida siempre nos dará aquello que nos merecemos, pero muchas veces tenemos que pedirlo.

Conozca al autor

Conozca al autor

Rubén Huertas es Presidente y CEO de la compañía *Power Holdings Realty Group*, una firma de consultoría, inversiones y corretaje comercial. La misma ofrece como parte de sus servicios: asesoría, seminarios, y análisis financieros y de mercado. Es además coach certificado.

En Puerto Rico, cursó estudios en la Universidad de Puerto Rico, Recinto de Cayey (CUC) y en la Universidad del Sagrado Corazón (USC). En Nueva York, cursó estudios en el Instituto de Tecnología de Rochester (RIT). En este último obtuvo su bachillerato en Artes y Ciencias.

Ha tenido carreras exitosas con compañías listadas en "Fortune 100" en varias posiciones ejecutivas incluyendo: ventas, mercadeo y gerencia. Su experiencia incluye las áreas de desarrollo y construcción, administración de edificios comerciales, centros comerciales, campos de golf, centros médicos, teatros, restaurantes y ventas al detal, administrando en esta industria cadenas nacionales.

Ha administrado sobre seis millones de pies cuadrados de bienes raíces comerciales en el noreste, sureste, centro y zona atlántica de los Estados Unidos incluyendo estados como: Nueva York, Illinois, Pennsylvania, Florida e Indiana.

En la industria de los REIT's (fideicomisos), Huertas ha administrado portfolios de bienes raíces con una valorización de mercado de medio billón de dólares para uno de los REIT's más grandes de los Estados Unidos.

Huertas es un inversionista en bienes raíces y fue el fundador de *Sterling Communities*, una compañía dedicada a la adquisición de apartamentos para la renta (multi-housing) y la administración de propiedades comerciales y residenciales.

Como empresario, utiliza su experiencia en diversas ramas de los bienes raíces para realizar análisis financieros muy detallados y evaluar la viabilidad y posible rendimiento en inversión de propiedades comerciales. Se concentra en crear formas de aumentar consistentemente los ingresos netos de las propiedades para que estas incrementen en valor.

Fundó la compañía *Smart Mortgage Savings* en el estado de Nueva York, la cual se dedicaba a ofrecer el producto de aceleración de hipotecas (bi-weekly mortgages). Actualmente este producto es ofrecido a través de *Power Holdings Realty Group* como un servicio de cortesía a sus clientes.

Ha sido dueño, además, de la compañía de publicidad y mercadeo *Print Works Plus* donde fue reconocido como empresario por el periódico *Democrat & Chronicle* en Nueva York. *Print Works Plus* con oficinas centrales en Nueva York y sucursales en Michigan, Ohio, Indiana, Alabama y Mississippi, tenía como principales clientes a compañías en la industria automovilística tales como General Motors, Daimler-Chrysler, Ford, A/C Delco, Delphi, UAW y Valeo.

Fuera de la industria automovilística, algunos de sus clientes lo fueron: Home Properties, GMAC, Bausch & Lomb, Eastman Kodak, Paychex, American Postal Workers Union, Xerox, Unity Health System, Toastmasters International, Thompson Publishing, Harris Interactive, FLACNA, Citibank y ACC Telecom.

Por otra parte, como orador profesional pertenece a la organización internacional de oradores *Toastmasters International* y ostenta la más alta designación que esta organización otorga, *Distinguished Toastmaster*. Esta toma por lo general siete años en adquirirla; Rubén la logró conquistar en tan solo cinco años.

Con esta preparación logra fundar la compañía *The Huertas Leadership Group*, la cual ofrecía seminarios y charlas a corporaciones tanto públicas como privadas cubriendo los siguientes temas: ventas, mercadeo, gerencia, administración del tiempo, comunicación, liderazgo, inversiones en bienes raíces, oratoria, desarrollo personal, manejo de personalidades y etiqueta.

Recientemente co-fundó la compañía *Fast Growth International*, dedicada al desarrollo y crecimiento de líderes.

El autor está disponible para presentaciones, seminarios, talleres y consultoría tanto en inglés como en español. Para contrataciones pueden comunicarse con Power Publishing Learning Systems al 787.676.4444 o a través de correo electrónico a info@powerpublishingpr.com

Índice

Índice

Números

A

B

H

I

J

K

L

V

W

X

Y

Z

Otros Libros del Autor

Más Educación

100 Estrategias para Triunfar en Bienes Raíces

Todo profesional necesita estrategias efectivas para aumentar su productividad. El material presentado en este libro ofrece de forma concisa 100 estrategias que lo ayudarán a pulir su práctica. Llévelo consigo y repase las estrategias que más apliquen a su necesidad actual. Produzca más aplicando estrategias sencillas. Descubra el secreto de los corredores más exitosos.

Made in the USA
Monee, IL
15 October 2021